S0-BME-849

樂府

·

心里满了，就从口中溢出

我本芬芳

杨本芬 著

北京联合出版公司
Beijing United Publishing Co.,Ltd.

目录

· 第一部 ·

03

· 1 ·

陈惠才在江西求学时，一个偶然的机会，遇到了家乡的好朋友刘文枝。

文枝一家一九五八年搬去了江西 A 县，那一年惠才也考取了长沙的一所中专学校。两人三年多没见过面了，此刻的相遇令惠才喜出望外。

文枝比惠才大两岁。两人都是完小毕业生，也算是有点文化。在老家时，她们白天一起出工，晚上一起教扫盲班，睡也睡在一起，好比亲姐妹一般。

文枝体态停匀，肤色红润，圆脸上有一双大而亮的眼睛，一对柳叶眉直插鬓角。她头路中分，梳着两根长辫子，浑身上下散发着一种自然美。

文枝已在A县落户，还有了一个两岁的女儿玲玲。文枝在县医院食堂负责煮饭，她的丈夫在木器厂上班，与在老家连饭都吃不饱的日子有了天壤之别。

有一次，学校维修教室，放了几天假。惠才便每天去文枝那里玩，除了和文枝聊天，也帮忙照看下小玲玲。

第一天中午十一点上下，惠才和文枝正头并

头地看一些女孩子的照片，突然听到一阵木拖鞋的踢踏声，随之走进来一个男青年。

这青年单瘦，中等个头，上穿米色暗格纺绸衬衣，下着藏青色东风呢长裤，衣服伴随步伐微微晃动，显得很是飘逸潇洒。只听文枝招呼道："吕医师，快过来，这里有好多照片，你看哪个好看，找个做老婆吧。"

被称作吕医师的男青年接过照片，略看了看。"都好看，都好看，只是我没那个福气。"他一边把照片递还文枝，一边说，"这个星期我当中班，十一点钟就来吃饭。"

吕医师一直没正眼看旁边的惠才。文枝怕惠才尴尬，便主动介绍："这是我的老乡，一个村子的，住两对门。本来她在湖南读中专，三年中专读到第六个学期了，可学校说停办就停办。没有书读了，又不想回乡下，就一个人跑到江西来了，现在在共大分校念师范班……”

他这才转过脸来看惠才，憨厚地一笑。惠才也笑笑，彼此都没讲话。

吕医师走后，文枝对惠才说：“这个吕医师是县医院的医生，从部队转业到A县的。他父母都过世了，一个人赚钱一个人用，条件蛮好，人也蛮好，只好像出身不好……”

惠才的心仿佛被什么刺了一下，有了同病相怜的感觉。虽没和那个吕医师讲过一句话，可因了出身不好这一条，她心里似乎同他拉近了距离。

第二天吃过早饭，惠才就去了文枝那里。中午十一点，木拖鞋的声音再次响起，惠才无缘无故有些紧张，便埋着头一门心思跟玲玲玩。只听那木拖鞋径直朝自己走来，惠才这才抬起头。视线相触，她脸上不由一阵发烧，连忙低下头去。

吕医师搭讪道："你来了好久了？"

惠才又抬起头，发现他正望着自己。她慌乱地说："没多久。你来吃饭？"

吕医师答了声"是"，接着便前往厨房，找文枝打饭去了。

第三天吕医师见到惠才，一副见到老熟人的样子，眼睛里闪烁着喜悦的光。惠才也没那么拘谨了，她原本就个性活泼。

吕医师对惠才说："等吃过饭，带你去我办公室坐坐。"

饭毕他来邀惠才，惠才好奇地跟着去了。看到办公室门上钉着"内科"的牌子，惠才心想，他是个内科医师。走进办公室，看到桌上放着一本医学杂志，封面上写了个“吕”字。

惠才问：“你姓这个‘吕’？我还以为你姓木子李呢。”

“我姓这个‘吕’，以后你就叫我老吕吧。”

“怎么好意思这样叫你？”

“没关系的，这样叫更随意。”他停了停，又问，“你明天还会来吗？”

“来的，明天是最后一天假期，后天我就上课了。”

“那明天出去走走吧，我有话对你说。”

“有话你现在就讲。”

“太多了，一下子讲不完。等一会儿别人就要来上班了，不好讲。”

说罢，吕医师用热忱的眼光望着惠才。尽管有些难为情，但她的确有些喜欢他，便说："好吧。"

"明天傍晚六点钟，我在医院门口等你。"

· 2 ·

惠才把吕医师约她去散步的事告诉了文枝，问文枝自己要不要去。

文枝说："当然要去。这人蛮好的，看他和你讲些什么，大概他喜欢上你了。"

"你同我去吧，我长这么大还没在晚上单独和男的走过路，我有点怕。"

"怕什么，只管去。"

六点左右，惠才朝医院门口走去，远远便看到吕呆呆地望着来路。吕发现惠才时，眼里闪亮了一下。他换了件浅蓝条纹的纺绸衬衣，下面还是藏青色东风呢长裤，脚蹬皮鞋，十分精神。

吕对惠才做了个走的手势，惠才便跟在他后面走到街上。乘凉的人群刚刚出动，几个老太太坐在街边小板凳上摇着蒲扇，见到吕，她们像揉皱了的纸似的脸上露出了笑容。吕也不停地向她们打着招呼。

惠才问："你认识她们？"

"经常来看病的，熟人，认得。"

两人慢慢朝河堤走去。定江河在月光下闪闪发亮，河水一波一波永无休止地荡漾开去。薄薄的夜，习习晚风给脸上、手上、衣服上送去阵阵新凉。

吕默默不语。惠才跟在后面走了一会儿，不声不响地走路很快使她紧张起来，她忍不住说：“我们还是回去吧。”

吕这才转过身来，说：“我真的有话跟你讲，我正在想从哪里讲起。我要如实告诉你，我的家庭成分是地主。”

他神情严肃，一副“我不打算骗你，一开始就要把话讲清楚”的架势。吕是两岁多时送给养父母带的，养父母待他不薄，省吃俭用供他读了书。因为有点田地，解放后养父母被划了地主，经不起斗争，双双跳进塘里自杀了。一夜之间，吕成了孤儿。

惠才心中充满了怜恤，还有同病相怜带来的暖意——她自己也出身不好，一直吃出身的亏。

惠才问：“你现在怎么又有了工作？”

“这得感谢抗美援朝。村干部把征兵的名额给了我，他们知道这一批兵都是要跨过鸭绿江上前线的。让我去，我真是巴不得，反正我一个人，养父母死了，亲生父母、村子、屋子都和我无关……”

吕让村长帮他把年龄报大两岁，顺利地参了军。他们那批新兵正待开赴朝鲜时，前方传来停战的消息，他没能上前线。吕读过一年高中，算有文化，部队送他去北京学了两年医，转业后分到A县医院，当了一名内科医师。

两个人陆陆续续把各自的经历都告诉了对方。河堤上散步的人越来越少，而惠才九点必须赶回学校。她知道自己该回去了，便说：“吕医师，我该回去了，还有五里路要走呢！”

吕说：“好，好。”

他们匆匆往回走。到了街上，惠才说：“我先走了。”

吕停住脚步，没有说话，木木地站在那里。

惠才急忙往学校赶去，心里有点感动。出身不好是让人忌讳的话题，他毫无保留地告诉她，定是出于对她的信赖。他是这么憨厚、诚笃，第一时间就想到要把最不利的实情告诉她。

下个星期天，惠才去找文枝，吃过午饭后，在门诊部前面和吕不期而遇。吕露出喜悦不已的神情。而惠才呢，总有点羞涩。

这次，吕对惠才说：“去我的住处看看吧。”

吕的住房是一长排单人宿舍中的一间，就在门诊部的楼上。走进屋里，黄白色杉木板墙壁散发着清香。一张单人床上挂着雪白的蚊帐，右边床头放了一个木架子，架上搁一只棕色皮箱。靠窗摆张书桌，桌上有几个饼干筒，吕一一打开，里面有花生、瓜子、饼干。

吕说：“我不抽烟不喝酒，就是喜欢吃点零食。零食也不是我一个人吃，来了同事，大家一起吃。”说着他便热情地招呼惠才吃东西。

惠才注意到窗边拉着根绳子，绳上晾着花裙子和花衬衣，便问：“你来客人了？这花裙花衣都蛮好看呢。”

“没来客人，都是楼上的单身护士的。她们几个人住一个房间，衣服晾不下，就晾到我这里来。”

惠才想，这人真是个好人。又待了一会儿，她起身打算离开。

“等等等等，”吕急急地说，一边转头打开

书桌抽屉，拿出一个显然早已准备好的信封递给她，“你回去吧。”

惠才一出门就迫不及待地打开了信封，原来是张吕的四寸黑白半身照。一张英俊的脸呈现在眼前：浓浓的眉，厚厚的唇，双眼亲切地看着她，脖子上的灰白格子围巾隐约可见。他特地送自己的照片给她，这意思很明显，是要跟她交朋友吧？惠才欢喜得不行，心中的甜蜜像潮水般涌来。

惠才把吕的照片夹在一本书里，上课时都要偷偷拿出来看几次，幸福得快要发疯。想想自己年纪轻轻便背井离乡，辛苦求学，在异地他乡居然遇到一个对自己钟情的人……惠才觉得她再不是一片浮萍了，是个有依有靠的人了。

·3·

万万没想到，还有不到三个月就要毕业的惠才，竟被学校下放了。当她看到张榜公布的下放名单上第一个名字就是自己时，突然一阵悸颤，像被什么东西刺中了心脏。

命运究竟是由什么支配的呢？她屡屡与学习、工作失之交臂，每次总是差那一点点契机。难道她这个品学兼优、出类拔萃的学生，硬是不能被社会认可？也许这次要怪她自己过于忠厚天真。

在下放动员大会上，老师反复强调要如实填写家庭出身，说出身不由己，道路则由自己选择；学校是要搞外调的，如果没有如实填写，一旦调查结果与实情不符，就要开除学籍。

惠才听信了这话，把自己不光彩的出身——父亲是旧官吏——如实地填上了，结果就出现在下放名单的首位。其实学校根本没去外调，惠才的老实害了自己。

别人和惠才一样觉得不可思议，全校有名的好学生、所有老师都喜欢的学生，怎么首当其冲轮到她下放？当有同学投来异样的目光时，惠才感到自己的矜持与尊严都没了。

惠才在人前没流一滴眼泪。等天黑了，趁宿舍没人，她拿着一点简单的行李悄悄地离开了学校。她怕有同学、老师来安慰她，她有种无脸见人的感觉。

走过斜坡，踏上木桥，悲哀如潮水般涌来，

痛苦如恶魔般袭来，似乎有条大蛇在心中翻腾，搅得人痛不欲生。

晚上的河水显得格外温柔、恬静，她真想纵身跳下，了却此生。可是河水很浅，连水下的石头都清楚可见，跳下去绝不会淹死，只会伤筋动骨。想死也没那么容易呀。

一个无家可归的女孩能去哪里呢？只有去投奔文枝了。绝望中的她急匆匆地往文枝家跑，一路上眼泪都流成了河。

见到文枝，惠才立刻抱住她泣不成声，一边语无伦次地说："我被下放了，我被下放了。"

文枝先是一愣，随后反应过来，说："你就是为这事哭呀，把我吓了一跳，我以为你家里又出什么事了呢。下放就下放，怕什么！有手有脚，还怕找不到事做？了不起又去农村种田。

我们什么苦都吃过，什么都不怕，兵来将挡，水来土掩。”

“文枝，如今我连个落脚的地方都没有啊。再说我从湖南跑到江西，不是来种田的，要是种田，我宁愿回去。”

“我这里难道不是你落脚的地方？你回得去吗？你爸爸饿死了，你妈妈带着弟弟逃跑了，你哥哥被打成了黑帮分子，你家的房子连好一点的门板都被撬走了……是我哥哥写信告诉我的，我不忍心告诉你。家乡也没有你落脚的地方，倒不如在这边落脚，这边的人更善良。”文枝停了停，好像想到什么，又说，“下放的事，你还是要告诉吕医师，看他有没有什么好主意。”

“我是真不想告诉他，怕他看不起人。我们毕竟是初交。”

“要是他愿意管你，证明他是真心的。要是他不管你，我们再想办法，你就安心在我这里住下来。”

第二天傍晚，吕应约来到文枝家。

文枝热情地招呼他，一边递上茶水，一边说：“吕医师在我这里吃晚饭吧，正好我买了条活鲫鱼，鲫鱼煮豆腐蛮好吃的。”

“我吃过饭了。”

“怎么会就吃过了？真不用客气。”

“真吃过了，今晚食堂的油豆腐炒豆芽、荷包辣椒都好吃。”

“都是我炒的，好吃就好。”

文枝说着又拿起一个苹果，手里的水果刀动得飞快，青红相间的果皮一卷卷耷拉下来。她把削好的苹果递给吕，说是一个出院的病人送给她的，让他尝尝。吕笑着接了过去。文枝又说：“你们聊吧，我去做饭。”

惠才感激地看着文枝，知道这所作所为都是为了自己。

惠才对吕说：“我下放的事，文枝告诉你听了？现在我是学习工作都没了机会，今后的路不知该怎样走。”

“出身不好的人难得不下放。慢慢来吧，走一步看一步。”吕的脸上没什么表情，十分平静。

其实这也算不上什么安慰话，但惠才很感动，旋即伤心的泪水便恣意地流淌在脸上。

惠才说：“我年纪虽不大，苦却吃够了，事也做怕了，唯有书没读够，总还想读点书。还差两个多月就要毕业，没想到又被下放了。”

“想读书就再考学校。”

“谈何容易！像这种半工半读的学校不知哪里还有，这个学校是再进不去了。要钱的学校，我连想都不敢想，家里负担不起。家里要是能供我上学，我也不会跑出来。”

“我倒是没有负担，我可以帮助你。”

吕此言一出，惠才的眼睛霎时一亮。难道她真的碰见了好人，愿意送她读书？这简直像做梦啊。她欢快地问：“你讲的是真话，不是信口开河吧？”

“不管你考取什么学校，我都送你读书。”

这就像是在某个伸手不见五指的山洞里摸了一夜，突然看见光明。惠才顿时容光焕发，绝望一扫而光。

吕走后，惠才把两个人讲的话一五一十地告诉了文枝。文枝说：“我真为你高兴，你碰到了贵人，命里有贵人相助。我真不忍看到你那副没着落的痛苦样子。”

柳暗花明又一村。惠才抑制不住地高兴，快乐得像只小鸟，帮着文枝忙东忙西。

· 4 ·

整整三天没见到吕了。

惠才难免有些忐忑，她告诉自己：“不可能有这么好的事落到我身上，我是个背时人。”

这天文枝下班回来，对惠才说：“吕医师托

人跟我讲，他送你读书或帮你找工作都可以，但要先结婚。作为他的爱人，他才好帮你出面。更有人提醒他要提防上当受骗，说湖南人里骗子多，况且你年纪小，人又好看。”

A县离湖南近，尤其是浏阳、平江等地，步行就能过来。三年自然灾害时期，湖南虚报粮食产量，饿死了很多人。相比之下，江西要比湖南好得多，于是很多湖南人都往江西跑。

一些刚到江西地界的湖南人，在路上看到菜地里的辣椒都会摘来吃，吃得嘴角流着绿绿的水，被捉到了还不无得意地说：“比观音土好吃多了。”饥寒起盗心。湖南人在江西确实做过不少坏事，主要是偷盗。一次，惠才在厕所里看到一首打油诗：“别看小小城，都是湖南人，没有湖南人，班房建不成。”

如此看来，别人对吕的提醒也算其来有自。但惠才还是感到一阵羞辱。而且她最怕听到“结婚”二字，不满二十岁的女孩就要结婚，又是在这种情况下，不如干脆说收留好了。

惠才说：“我还是回去，死也死在家里。我不愿意过早结婚，我不想让人收留我。”

文枝说：“吕医师也是好意，他是实心想帮助你。结婚也不是什么坏事，即使你回湖南，也要结婚的。再说吕医师年纪不小了，该结婚了。你不和他结婚，他不会放心送你读书或找工作的，他怕上当呀。江西人对湖南人印象不好，每次开宣判会，我都不好意思参加，那些偷盗、抢劫的十有八九是湖南人。湖南人真作孽，都是被逼的呀……”

摆在惠才面前的路，只剩了结婚，结了婚才

有可能继续读书或工作。当时擅自跑出来，真是初生牛犊不怕虎，如今才知道外面的世界虽大，也不是随便就能容下她的。去与留都落在这两个字上，不结婚又能到哪里去？

婚礼安排在一个周末，开个茶话会，桌上摆些喜糖就能对付了。惠才和吕并排站在桌子旁边，医院的职工来了许多，住院的病人也来了不少。大家都很开心，唯独惠才这个新娘子高兴不起来，她只想地下有个洞能让她钻进去。

新房就是吕的单身宿舍。婚礼结束后，惠才低头坐在床沿上，如坐针毡。左右两边都住着单身男女，他们都有自己的事业、自己的生活。而她从今天起便要和一个男人生活在一起了，尽管这个男人她喜欢，但毕竟才认识两个多月，实在没做好结婚的思想准备。没人拿棍子或用绳子逼着她和他在一起，逼迫她的是一种无形的力量。

此刻，惠才仍不知他年纪多少、性情如何，只知道他和她一样出身不好。不过，他的长相是她喜欢的，何况他还答应送她读书。惠才对自己仍抱着希望，希望今后能考取学校，若是大学就更好了，毕业了就和他在一起，一辈子对他好，不离不弃，有难同当，有福同享，用行动来报答他……她只是不想这么快结婚。

可怜的惠才呆呆地想着心事。再过几小时就是明天了，到时该如何见人？瞥一眼吕，他面壁而睡，没有一丝动静。她本想和他商量，但又不忍心吵醒他，再说这木板房深更半夜又如何能讲话？

最坏的结果是仍去当农民，惠才想起文枝的

话。回湖南当农民是一点出路也没有的，在这里一边当农民，一边考学校，总还有个盼头。她觉得自己先要找个地方落脚，免得住在这医院宿舍里，朝夕碰到上下班的人。她怕碰到他们，总觉得自己是别人眼中的寄生虫，这种滋味就像是一个正在行窃的小偷，时刻为门外经过的每一阵脚步声而提心吊胆。

·5·

惠才思量了大半夜，迷盹了一会儿，天就亮了。吕不知何时已经走了。

惠才站起来，毫不犹豫拿起桌上的笔飞快

地写了几个字给吕："我年纪轻轻，不想当个寄生虫，我到附近乡下去找个地方住。当个农民比当个寄生虫要光彩，你说呢？中午我会回来，请等我。"

她拿着毛巾，却不敢去公共水龙头边洗脸。她怕丑，怕碰见人，只梳了下齐耳短发就出门了。她往县郊的农村走去，有一种慷慨赴义的悲壮。

在离医院顶多一里路的地方，有个樟树生产队。从前上劳动课时，惠才曾和同学到这个队的山上为学校砍过毛竹。队长姓黄，是个本分、随和的农民。黄队长带他们去砍柴时，讲一口客家话，"是"是"嘿"，"干什么"是"搞马格"，"到哪里去"是"到赖子去"……同学们都听不懂，一个个面面相觑。

惠才对那口客家话印象极深，却没想到自己会再次来找黄队长。

打听到黄队长的住处，惠才便朝那方向走去，正巧碰到黄队长挑着一担木桶去挑水。惠才叫了声“黄队长”，鼓起勇气问：“你还认识我吗？”

“认得认得，你来砍过毛竹。”

“黄队长，我想到你队上落户，来当个江西老表，江西是个好地方。”

“你一个人？不是开玩笑的吧？”

“当真的，我在这里读书，被下放了。你放心，不可能有老的少的来，就我一个正劳力。”惠才心里的苦只有自己清楚，但她在人前总是一副乐呵呵的样子。

黄队长爽快地说：“好哇，我同意。”

A县闹过一次人瘟，其实是霍乱，死了很多人，有的一家子都死光了。此时正需要劳力。

见黄队长同意，惠才便说：“我想要间房子，今晚就住过来，还要有个做饭的地方。”

黄队长倒是个热心人，立刻就挑上空桶，带惠才去看房子。先走至一个禾坪，穿过那开阔的场地，再踏上两块麻石垒起的阶梯，阶梯上面有扇大门，门板上的油漆脱落得如鱼鳞一般。

开了锁，门吱呀一声朝两边打开。黄队长指着屋里说：“这里有四间房，两间做了队上的仓库。有一间将门封了，朝外面开了扇门，住着一对从长沙来的兄妹。还有一间空着，你就住那间吧。”

一股陈旧的霉味从房间里飘出来。黄队长将

窗子上发黄的报纸撕掉，屋里豁亮了许多。一线阳光从木格窗里挤进来，淌在泥地上。

黄队长说："这是间正房，你看还有楼板。这张床虽不好，但能用，这张桌也能用，你看要不要得？"

"要得要得，就住这里吧。"惠才忙说，"我想找你借个扫把，还要块烂布，要使劲打扫一下，你看这角角落落的蜘蛛网都要扫掉。"

惠才跟着黄队长去拿了扫把、水桶和抹布，马上就动手打扫起来。这一打扫，堂屋里就有了响声。一会儿走来个年轻姑娘，讲着长沙话，她就是黄队长口中在这里落户的长沙兄妹中的妹妹。

打扫完毕已是正午，阳光猛烈，惠才顾不得

那么多，又急急地朝医院走去。她想尽快告诉吕，她在樟树生产队找到了房子，离医院也挺近，应该是件开心的事。

到了门诊部，惠才快步奔上楼，走至吕的宿舍门口，恰好看见吕笑嘻嘻的脸，屋里有人正和他讲话。惠才好怕碰到人，又一溜烟地跑了出来，冲到楼下的大门拐角处，没来由就一阵委屈，流下泪来。

一会儿吕下楼来，惠才跟他走回宿舍。吕高兴地说："上午好多同事都想去看你，说我找了一个又年轻又漂亮的老婆。"

惠才脸上一阵发烧，这么快就被人称为"老婆"了，她觉得这两个字十分刺耳。她对吕说："我决定去乡下住，房子搞好了，今晚就要住过去，希望你同我去认识一下地方。"

吕说："你还没吃饭吧，饭买好了，等你吃了饭同去。"

惠才这才感到饥肠辘辘，她连早饭都没吃就出了门。她匆促吃罢饭，麻利地整理好自己的东西，便和吕一起拿着简单的行装，前往樟树生产队她的住处。

路上，惠才说："我到这里来住，你不会有意见吧？我想参加队上的劳动，赚点工分养活自己，替你减轻负担。我会一边复习功课，你平时要替我多留心点，有什么学校招考，一定要告诉我。"

"当农民也不错。单位上有我赚钱，农村有你，栽栽种种，还能养点鸡鸭，顶好的。"

惠才急了："那你根本没打算让我考学校或帮我找工作，只是说说而已？"

“这些事都不能急，只能等机会。目前只怕没有学校可考，找工作就更难了，到处都在下放。”

听了这些话，惠才心里很不是滋味，但她也知道眼下就是这样，他没讲假话。

吕走后，惠才上了趟街，置办了些生活必需品。

一个泥巴炉子搁在堂屋左边角落一张又长又宽的凳上。这长板凳坑坑洼洼、满身伤痕，但异常结实，估计是张木工凳。它给惠才带来许多方便：水桶可以放在凳子的一头，洗好的菜放在另一头，泥巴炉子在中间，做起饭来得心应手。

惠才站在屋里，四处张望，发现木格窗虽不大，但也得有块窗帘遮挡。她又速速上街去扯了块毛蓝布，买了针线，把布的上下底边一缝，再缝上几个纽襻，穿上铁丝，然后在窗子两边各钉了一枚钉子，把窗帘挂了上去，收放都很自如。

堂屋里扫得干干净净，除了能派上用场的木凳和一张破桌外，没有别的东西，宽敞而豁亮。

惠才暗暗感慨："我居然有个安身立命的地方了。"

· 6 ·

平生第一次一个人住在这么大而空旷的地方，惠才不免有些害怕。

天还没完全黑下来，她就关上门，躲进房

里，独自坐在桌前，聆听着外面的声响。除了风吹动树叶的沙沙声和蟋蟀的叫声，再也听不到别的。日光慢慢消失，闭上眼睛也能感到屋里暗了下来。一股脆弱的情绪蓦地袭遍全身，她真想哭。

终于听到了脚步声，随之而来的是敲窗子的咚咚声。惠才一阵紧张，霍地站起来问："谁？"

窗外传来吕的声音："是我。"

惠才来不及点灯，借着屋里的一点微光，摸索着开了大门。走进房里，她立马拿出火柴点燃了煤油灯。那一穗金黄的火苗照亮了一张含笑的脸，她心下顿时一松。

睡眼蒙眬中，惠才被什么声音吵醒了。真正清醒后，她才意识到头顶的楼板上，成群结队的老鼠正在奔跑乱叫，犹如大部队在那里操练。那叫声温柔、凄惨、尖锐，一波未平一波又起。

吕也被老鼠吵醒了。惠才对他说：“要是每晚都这样，以后睡觉可成了个大问题。”

吕不以为意地说：“老鼠有什么可怕？明天买些老鼠药放到楼上，保证就安静了。”

一早起来，两人同时望向楼板。这楼板尽管陈旧得如老人的脸，但仍是严丝合缝，也没有门，如何能上去放老鼠药？

惠才说：“你晚上要回来呀，这么大的房子，一个人还蛮怕的。”

“我还真不能经常回来。院里陆续有人下放，我要掌握点动静，万一有什么不测，也好早想办法。”

惠才觉得这话不无道理，吕应该先保证他的工作，他若是下放了，对她也没有好处。

两人再没讲什么，吕匆匆忙忙回单位去了。

那天早晨，惠才煮了点饭，拌点酱油吃了，就和社员一起出工去了。

惠才整日都和邻居兄妹在一起做事。兄妹俩那一口长沙话，使她感到特别温暖。哥哥李全寿二十几岁，中等个头，长长的脸，端正的五官，一副干干净净的模样。妹妹李全秀苗苗条条，脸有点凹，皮肤干巴暗黄，但一双大而有神的眼睛把这些瑕疵都遮掩了。

全秀比惠才大两岁，她热情地挽着惠才的胳膊说："你还没种菜，要吃菜就到我们菜土里去拔。晚上到我们那里吃饭，一个人就不要开伙了。"

望着全秀亮晶晶的眼睛，惠才有一种姐妹般

的感觉。

幸亏有这兄妹俩做邻居，闲时可以在一起讲讲话，白天倒不寂寞。不过他们知道惠才是新婚，晚上就不来串门。

这是惠才搬来这里住的第二个晚上，吕今晚不会来了。

小时候，家里虽穷，但一大家子人其乐融融，惠才从不觉得孤单害怕。读书时住集体宿舍，也有人做伴。如今独自守着这么大一个空荡荡的屋子，注定要和老鼠、孤独、黑暗为伴了。

天将黑时，惠才不由自主地将堂屋和卧室的每个角落都看了个清楚，确保没有异样才关上大门。可她还是害怕，她也搞不清自己究竟是怕人还是怕鬼。她走进房里，坐在桌前，打开一本书翻看，这是掩饰恐惧的最佳方式。

天慢慢暗下来，几乎全黑了，惠才飞快地点上煤油灯。煤油灯的玻璃罩抹得雪亮，一柱橙色的火苗带来了些许生气。但她又不想让人知道这房里有人住了，便立刻吹灭灯，爬上床，用被单将自己紧紧裹住，睁大眼睛望着楼板。

寂静中，惠才听到楼上的老鼠开始活动，撕咬、追逐、尖叫声不绝于耳，捂住耳朵也无济于事。夜深了，瞌睡随之而来，哈欠一个接一个。她咬咬牙，自言自语道："它叫它的，我睡我的，只要睡着就好了。"不知什么时候，她终于沉沉睡去。

梦中，惠才觉得有个人紧挨她躺着，对着她的耳朵喋喋不休地讲话。她感到窒息，想喊叫出来，可用尽全身力气也张不开口，嘴唇犹如两块沉重的钢板，被螺丝拧在了一起。她想抬手打过去，但手似僵住一般没了知觉，怎么也举不起来……

折腾到天麻麻亮，惠才醒了过来。那荒唐的情景、奇特的人物，依然在脑中萦绕，挥之不去。她呜呜咽咽起来，眼泪顺耳流下，将枕头洇湿了一片。

早上，惠才本想把昨夜的梦告诉全秀，但她又不敢讲，担心全秀笑话。一个荒唐的梦，无须如此大惊小怪。

· 7 ·

由于头天晚上的遭遇，次日夜里惠才紧张得无法入睡。她辗转反侧，想合眼的企图被梦里那可怕的一幕抵消了、压制了。

她几乎一整夜都大睁双眼盯着楼板，偶尔望向窗子，虽疲倦已极，眼皮却纹丝不动，眨都不敢眨一下。直到夜色在曙光的照耀下一点点变稀变淡，室内物什的轮廓渐渐显现，她的眼皮才像铡刀一样沉重地切落，一下睡了过去。

阳光透过有裂痕的大门直射进屋子，落在泥地上，白白亮亮的。惠才在刺眼的光线中醒来，原本还想再睡会儿，但转念想想，她总不能做个恋床的瞌睡虫，必须按时起床才好。于是她无精打采、满脸倦容地起床梳洗，心中充满了怨恨。

此后几天，一到睡觉时分，惠才便如临大敌，她开始恐惧夜晚、恐惧黑暗。她百般劝慰自己：“一个噩梦而已，没什么奇怪的，没什么好怕的。”然而，她还是害怕得不能自已。

每到夜幕降临，惠才便擎着灯将屋里四处照一遍，连床底下都不放过，随后才能在桌前坐下来。周围一片死寂，她拿起一本书，有意将书翻得噼啪作响，用来壮胆。枯坐无味，书又看不进去，眼睛怎么也不得消停，不由自主地望向各个角落。

这天晚上，惠才将灯移至床边的凳子上，一边对自己说：“还是熄灯睡觉吧，睡着就好了，但愿今晚平安无事。”脱鞋上床的一刹那，她又本能地感到畏缩，床铺就像个黑暗的陷阱。她不断给自己打气：“昨晚通宵没合眼，什么问题都没有。今晚一定要好好睡个觉，绝不能胡思乱想，自己吓自己。”

吹灭灯后，屋里一片漆黑，一种更大的空虚和不安袭来。惠才连忙爬起来，点亮了油灯。然而油灯无法将一间偌大的屋子照得豁亮，暗处总有影子晃动，况且深更半夜点着一盏孤灯更没安全感。她又将灯灭了，觉得把自己裹在被窝里更安心，可马上又发现屋里太黑了……这样三番五次地点灯熄灯，折腾了好几个回合，末了还是决定灭灯睡觉。

她正迷迷糊糊地入梦时，那可怕的情景又出现了：一个人睡在她身旁，滔滔不绝地对着她讲话。她仍是不能动弹，不能张口，受尽煎熬，苦不堪言。

醒来后，她伤心得无以复加，半天抽噎不止。梦中的她总是连叫都叫不出来，不过即使叫出来了，又有谁能听到呢？她的心脏仿佛遭遇攻击的蚌壳那样紧紧地合拢，血液似乎流不动了。

惠才沮丧地走至窗边，拉开了窗帘。从木格窗里望出去，天已大亮，天空湛蓝，晨风拂过树木，树叶婆娑作响。她回过头，无意间望见桌上镜子里的自己：一个丢魂失魄的憔悴女子。她下定决心要去找吕，把这事说给他听。

吃过晚饭，惠才走上通往医院的大路，充其量一里多路，一会儿就走到了。她远远就望见吕穿着白色汗衫、白色长裤和木板拖鞋，正和几个同事有说有笑，手还不时地比画着，神态悠闲，兴致很高。

惠才就像做贼似的心虚，立马回转了身。她不想让吕和他的同事看到她一副落魄的样子，也不想让他觉得她是个负累。她装着满腹委屈，边往回走，边凄凄地哭。

走到家门口，惠才无论如何也没勇气推门进去，便沿着屋檐走到全秀家门前。她仔细地抹干眼泪，敲开了全秀家的门。全秀兄妹非常热情地请她坐。

惠才说：“全秀，我想请你和我做伴，我一个人住在里面好害怕。”

全秀望向哥哥。全寿说：“要得要得，让全秀和你住，只是你那口子不要紧吧？”

“他不会回来。”

星期日，吕吃过晚饭后回来了。

惠才本以为自己会生气、愤怒，可一见面，又不想生他的气了。她丝毫不掩饰对他的喜欢，跟他讲话的欲望十分强烈。她和他讲述夜里遇到的事，说她是如何害怕，还有那叫天不应、叫地不灵的滋味。

吕说：“不要胡思乱想，世上哪里有鬼？要是有鬼，医院里一年死那么多人，活人还能安生？”

“我也懂世上没有鬼，但晚上遭遇的事无法解释。这件事搞得我无法安生。”

“住久了就好了，不要疑神疑鬼，自己吓自己。”

两人讲了一会儿话，吕说：“我该回去了。”

“你还要回去？”

“要回去，怕院里有事。”

“院里有事，还有值班医师，无须你牵肠挂肚。”

但吕已从椅子上站了起来，头也不回地朝外面走去。

望着他的背影，惠才心想，这人怎么会这样？结婚不该是这样的。悲伤和茫然使她泪流满脸。

后来，吕就固定在每周日晚饭后回来，坐上一会儿，又回医院。他仍习惯于单身生活，每时每刻都离不开他的工作、同事。

幸亏有全秀做伴，惠才总算能够熬过漫漫长夜。

· 8 ·

一日，惠才跟吕商量："你结婚了，应该让你父母知道，我们一起回趟家吧。"

吕说："我不去。"

吕对亲生父母一直怀有怨气。养父母双双自杀身亡后，吕成了孤儿，一时衣食无着。他是两岁多被养父母收养的，亲生父母就在同村。他知道自己的身世，便去找亲生父母。因为怕受牵连，他们拒绝收留他，只是给了他一缸子米。

惠才说："你这人真有些不讲理。当时那种局面，他们一定也十分害怕。都多少年了，你就别记恨了，他们毕竟是你的父母。"

吕说："我就是不愿意回去。要去你一个人

去，我告诉你怎么走。我老家离县城有二十里路，不通车，靠步行。你在县城下了车，就问去江口的路，到了江口，就问邓家在哪里。邓家有我做童养媳的姐姐在，见到我姐姐，再要她带你去找我父母。”

惠才把这些都记在心里，第二天就买好早班车票出发了。

A 县距离吕老家的县城有八十九公里，三个多小时就到了。一下车，惠才就向路人打听去江口怎么走。

县城通往江口的是条宽阔大路，两旁是无止境的大丘大丘水田，看不到山。田里的水稻差不多收割完了，偶尔也能看到没收割完的稻谷，黄湛湛如流苏般在风中摇曳。农民们正挥汗如雨地在那里劳作。这场景，惠才并不陌生。

八月的太阳仍很毒辣，挂在空中纹丝不动。走近邓家这个屋场时，惠才的脸晒得像熟透了的苹果，嘴里干得要冒烟了。

离屋场不远处，有几棵三人合围都抱不住的老樟树，粗大的树身鼓爆着歪歪扭扭的疤痕。每棵树下都躺着几头水牛或黄牛，它们眯缝着眼睛，悠闲地咀嚼着从胃里反刍上来的食物，尾巴时不时甩打几下，驱赶前来骚扰的苍蝇蚊虫……看那模样，此刻是牛们最幸福、最享受的时候。

邓家大屋重重叠叠的门楼像个迷宫，灰色的墙壁和褪色的木门使大屋显得庄严而陈旧。门前丛生的杂草翠绿麻密，直长到大门的门槛边。门楼前鸡狗成群，鸡粪狗屎随地皆是，进出的人们对此视而不见，走起路来大步流星。惠才没有这般勇气，便低着头仔仔细细地下脚。

在一个中年妇女的带领下，惠才在大屋某处找到了吕的姐姐。一见面，无须介绍，惠才就发现亲骨肉到底很像，一样的眼睛、一样的鼻子，只不过姐姐颧骨更高，个子更矮小。

惠才告诉吕的姐姐，自己从 A 县来，是她的弟媳。姐姐先是愣住，随即欢喜得不知所措，从心窝里发出响亮的笑声。

消息像风一样传了出去，大屋里一下来了好多人。男男女女、老老少少把惠才团团围住，像看西洋景似的，一边嘁嘁喳喳抢着跟她说话。此地方言又全然不同于 A 县的客家话，惠才听不懂，但从表情上看得出来是在夸她。

很快，姐姐煮来一碗米粉，上面盖着两个荷

包蛋，洁白光滑的蛋白包着完好无损的蛋黄。

中午，姐姐做了很多菜，还杀了只大母鸡。那一大海碗鸡肉芳香四溢，只是怎么也咬不动，不要说用筷子夹，即便是放下矜持、双手使劲，也难撕下一片肉。

惠才发现，她们做饭、烧菜都用同一口直径八十公分左右的大铁锅，叫牛五锅。米饭是用木饭甑盛着放在锅里蒸熟的，吃起来极香。鸡也是用这铁锅炒出来的，不可能花上好久把肉炖烂。猪潲也放在这锅里煮。

吕的姐姐吃苦耐劳，里里外外一把手，还要赚钱供三个孩子上学。姐夫是个极老实的庄稼人，吃饭不上桌，也不敢正面看人。惠才始终没能看清姐夫的五官，脑中只留下一个中等个头、黑黑瘦瘦的男人形象。

做晚饭时，惠才主动坐在灶前帮姐姐烧火，烧的是杂柴，用一个竹夹子夹着柴火往灶里塞。除了午饭剩下的鸡肉和猪肉，姐姐还炒了长带和泥子，也就是茄子和丝瓜。

姐姐不停地和惠才讲话，惠才勉强听懂了一句，原来姐姐比吕大十岁。由于语言不通，交流起来很难，惠才沉默的时候居多。不过因了茄子叫“长带”，丝瓜叫“泥子”，两人笑了好一阵儿。

说笑间，惠才感到脚背有些刺痒，低头一看，一条比米粒稍大的黄色小毛虫正趴在她脚背上，那黄毛上还有几个黑点。她赶紧用竹夹子把虫子夹进灶里。此时小腿也痒起来，火辣辣的，有些痛。她卷起裤管才发现，油菜籽大小的红点点竟在小腿上密密麻麻铺了有一公分宽，而且长了脚般飞快地爬过小腿，蔓延到了膝盖。

惠才吓出一身冷汗。眼看着红点就要爬至大腿，她心急如焚，忽然想起临来时鬼使神差装了一支肤轻松软膏。她立马起身从袋子里拿出软膏，从上至下一顿猛涂。好在一支肤轻松涂完，红点也慢慢消失了。

惠才心有余悸，再也不敢坐到灶前烧火了。

在惠才心里，这一天过得特别慢。

先是想方便一次都不易。茅厕是一个由三根树干支起来的三脚架子，四周挂上稻草，就成了个小棚子。稻草被风雨侵蚀得稀稀拉拉，阳光透过稻草投进茅坑，照见粪池里的蛆成坨地蠕动。进门那一侧有个用木条钉的方形框框，上面挂着稻草，人进入茅厕后，再将木框搬过来遮住身体。茅坑上搁着两块并不厚实的板子，踩上去后脚下一颤，似乎时刻都有可能断裂……每次方便都要吓出一身汗。

还有那成群的狗，一见生人就狂吠不止，绝不忽略它们的义务，而且一声比一声高，犹如比赛各自的嗓门。

好容易太阳落山了，夕阳黄黄的光线照在土墙上。惠才站在大门口，发现不远处有个很大的水塘。劳动归来的男男女女，纷纷下到塘里洗脸洗脚。男的往往会脱掉上衣洗澡，女的就在塘里洗头发。那湿漉漉的头发贴着头皮，发出汗馊味，倒是油亮乌黑的。

各家的饮用水也是从这水塘里挑的，只不过在另一边。塘里的水是死水，可想而知有多脏。难怪盛水的碗底总有一层灰色的沉淀物。此地没有井水，历来如此。

惠才有了度日如年的感觉。她好想回家，尽管那是个寂寞的家，但至少可以放心地吃饭喝水。睡觉时有全秀在旁，也不怕。真是在家千日好，出门时时难。

次日吃罢早饭，惠才就缠着姐姐带她去吕的父母家。翻过几个小山丘就到了。这也是一片大屋，一家挨一家，地形错综复杂。

走至禾坪，正遇上吕的父亲掮把锄头往外走。六十多岁的吕父高大、挺直，容长脸上五官端正，穿着件白棉布对襟褂子，长袖整齐地卷至手腕，黑长裤卷至膝盖。他虽是个农民，样子却很精致。难怪吕说他父亲年轻时长相十分好，别人给他取的绰号叫金菩萨。吕的长相则偏向母亲，尤其是鼻子，他的个头也没父亲那么高大。

自见到惠才起，吕父脸上便一直挂着笑，显得很慈祥。惠才怎么也想象不出他年轻时是个好赌的、毫不顾家的挖煤人。

吕的母亲生了十一胎，因养不活，不是送人就是夭折。生产后也得不到休息，还没满月就去拾田螺换米，一碗田螺肉只能换上一碗大米。后来，她就落下了哮喘的病根，整日好像拽着风箱的炉灶，呼哧呼哧直喘气，脑袋则像个货郎鼓似的不停摇摆。望着这个矮小的老太太，惠才有种说不出的心痛。

顶着个摇摆不停的脑袋，却不妨碍吕母做事，她养鸡、养鸭、洗衣、做饭……忙个不停。家中那些预备用来招待客人的东西都放在阁楼上，像花生、南瓜干、茄子干、红薯干之类，惠才从进门起，就见吕母来来回回地往阁楼上爬，动作敏捷，犹如猴子上树。她每上去一次就抱下一个小坛子，从中掏出种种吃食让惠才品尝。

这天中午桌上也有鸡肉，也是用牛五锅炒的。肉香弥漫了整个灶屋，只是依然吃不动，双手左右开弓也难以撕下一块肉。

家里只有两个老人，屋子打扫得很干净，青灰色的地面显得十分洁净。两只供母鸡下蛋的小箩筐整齐地靠墙摆着，里面的稻草也垫得整整齐齐，成了两个窝。因下蛋的时间长，稻草被母鸡蹲得有些放光。可那苍蝇就像晚间禾坪里的萤火虫般到处飞舞，喝水的碗只要放一阵子，就有几粒苍蝇屎粘在碗边上。

吕的母亲兴致很高，热情地带着惠才出门转悠。这一转，就碰上了两个乡村小孩。那情景触目惊心，仿佛嵌在惠才的脑子里，几十年都抹不去。

先是望见一个不会走路的小男孩坐在一把竹椅里睡着了。他嘴上落满了苍蝇，就像黑黑的一圈胡子；两只眼睛的四个眼角，每一处都爬着几只苍蝇；胸前和裤裆那里，也有不少苍蝇飞飞停停……为了争夺最佳位置，苍蝇在孩子身上不停地蹭来蹭去。可怜的孩子睡得那么熟，活像一具小小的僵尸。可即使他没睡着，一双小手又如何打得过四面八方袭来的苍蝇啊！

随后又看到一对父子。年轻的父亲拽着五六岁的儿子。小男孩的额头上长满了大大小小的红白痱子，仿佛沾了一头的小沙粒。父亲拿一个锈迹斑斑的瓶盖子，横着在儿子额头上一刮。只见孩子一阵痉挛，嘴巴瘪了几瘪，眼泪掉在胸前，也没哭出声来。父亲用拇指和食指刮掉了瓶盖上的脓物，又重来一次。背上、胳膊上也如法炮制。

人的生命力真是顽强，在怎样恶劣的环境中都能活下来。惠才暗自感叹。

此地田多劳力少，妇女和小孩都很可怜。女的和男的一样下田做功夫。小孩小时候没人带，长到十三四岁就得跟着大人做事。读书的极少，多数人一辈子只知道种田。

夜里，惠才睡在吕父母的床上，也不知老两口睡在哪里。睡觉时，她发现床头放了两只大尿桶，那尿骚味直往鼻子里钻，几乎要窒息。她用毛巾将鼻子嘴巴捂住也不管用，一整晚翻来覆去，不知如何是好。

好不容易熬到天亮，惠才鼓起勇气找到吕的父母，说她打算回家。吕的父亲是个明白人，知道惠才住不习惯，也没有勉强。

临走时，吕父从鸡笼里抓出一对大白鸡，一公一母，用竹笼子装好，要惠才带回家。这对白鸡浑身没一点杂毛，油光闪亮，白得耀眼，惠才十分喜欢。

走到大门口，老两口满脸失落，惠才都不忍心看他们。吕母不停地念叨："怎么不能多住几天？"虽听不懂方言，但惠才知道她是这个意思。

他们把惠才一直送到江口。三个人站在大路上，迟迟不愿分离。吕父抽着用旧报纸卷的烟，烟气一丝不外露，全部吞进肚里。停了一会儿，一根线似的烟雾才从他鼻子里溜出来。

尽管是初次见面，惠才却体会到浓浓的亲情。望着吕母那稀疏的头发在晨风里颤抖，惠才的眼泪在眼眶里打转。不过她还是想回家。

晨风吹在脸上，惠才感到很舒服。她时不时看看手里的鸡，匆匆往县城的车站赶去。

终于坐上了车，回到了家。干净的禾坪、空空荡荡的堂屋和卧房，一切都那么通透、宽敞。惠才想，这就是她自己的家，多好哇。

惠才给鸡喂了些米，又拿一个箩筐垫好稻草，暂时把鸡放在里面，再用一块板子盖住。

吕的母亲给她装了好些南瓜干、茄子干、苦瓜干。惠才觉得这些菜干蛮好吃，自己又不会做，该送给文枝尝尝。经过门诊部门口，惠才的脚步自然慢了下来。要不要进去看看吕？但自卑刺激得她的傲气又在心里抬头，她望而却步，怕碰到他的同事。

看见文枝自然再高兴不过了。惠才把在吕老家的所见所闻详细地讲给文枝听，还特别提起那条小毛虫，感慨要是没带肤轻松就不堪设想了。

后来，文枝问惠才：“吕医师对你好吗？”

“谈不上好还是不好。他还恋着他的单身生活，每次都是吃过晚饭后去我那里坐一会儿就走，连饭都没吃过一口。他也不太喜欢同我讲话，只和他的同事才有讲不完的话。他过惯了单身生活，没有家的概念，我也不去打扰他，两人相安无事。唉，我总觉得结婚不应该是这样。”

那日，惠才在文枝家里吃了晚饭才回去。

周日傍晚，吕照例吃了晚饭过来。惠才端着饭碗站在大门口吃，不如说是在等吕。一见到他，她就满脸欢喜，心里那点怨念都抛到了九霄云外。

惠才拿把靠背椅放在屋檐下让吕坐，自己三口两口扒完饭，也拿了把椅子坐在他对面。她滔滔不绝地将老家的情况一一告诉他，讲那里的生活环境，讲那里的女人、孩子，讲他母亲顶着个摇晃的脑袋很是可怜……

吕的表情变得严肃起来。惠才想，其实他心

里有所触动，只是不愿承认罢了。“等我们条件好点，要把你父母接来住住。你放心，我会对他们好的。”她边说，边从大门后搬出那两只鸡给吕看。

吕的脸上这才有了笑容。他不停地抚摸着鸡的羽毛，说：“好好养着，等下了蛋，孵上一窝小白鸡，那才好看呢。”

晚霞越来越浓艳，又渐次暗淡下去，终至消失。眼前仍有一点模糊的光亮，暗处的花脚蚊子嗅到了人肉味，忽明忽暗地在人前晃动。

惠才说：“进屋去吧，有蚊子。”

“不进去了，我该回去了。”

“你还要回去？”惠才不能相信自己的耳朵。

“回去心里踏实。”

“今晚还是别回去了，一晚不在，医院不会

有什么事的。”

吕坚持要回去，说罢便没有丝毫留恋似的提脚走人。望着他离去的背影，惠才禁不住想，这就是她几个月前认识的那个人吗？

她呆呆地流了一会儿眼泪，最后把泪水一抹，又笑呵呵地去叫全秀做伴。她无法向全秀倾诉，全秀还体会不到这种凄惨的心境。

· 10 ·

下个周日，吕又过来，依旧是坐了一会儿就走。

看到天色尚早，惠才说：“我送送你吧。”她边说边锁好自己房间的门，顺手带上了外面的大门，但没上锁。走了没多远，她不放心地说："我还是回去算了，大门没锁，心里不踏实，仓库里放着队上的东西呢。"

第二天早晨，惠才像往常一样去将鸡放出来。可当她揭开木板时，箩筐里空空如也，两只白鸡被人偷掉了。

惠才不会骂人，更不会像一些乡下女人那样用恶毒的话去咒人家，顶多上工时和人讲讲，说她的两只鸡都被人偷了，真是伤心死了。

等到吕回来，惠才告诉他，别人把鸡偷去了。"要是我锁了大门就好了，这是让小偷钻了空子呀。我和你出门时被人看见了，我们前脚走，别人就立马去偷鸡了。多好的两只鸡呀，真可惜。"她懊恼至极地说。

吕一句话也没讲，脸色阴沉得可怕。无论惠才怎样和他讲话，他都不搭理。她一点都不怪他。这对鸡是他父母送的，他又是那么喜欢，丢了自然难过。

接下来的日子，吕仍是几天回来一次，只是不搭理惠才，甚至连看都不看她一眼。她总是热脸去贴冷屁股，怎么也讨不到他一点欢心。

这究竟是为什么呢？惠才扪心自问，鸡被偷了是她的责任，可她也不想别人偷她的鸡呀。为了两只鸡，总不能夫妻反目吧。

一日吕回来，站在屋檐下，连门都不愿进。

惠才问："你能不能告诉我，到底是为了什么事，你这么久都不埋我？是不是在医院里遇到了烦心事？你尽管告诉我，我们一起来分担好吗？"

吕将脸望向别处，说：“医院里会有什么事？”

惠才等着他说究竟是为什么，可他再不肯言语。

快两个月了，吕仍是那副爱搭不理的德行。惠才感到无所适从，一见到他就想哭，曾经那么爱说爱笑的人变得可怜巴巴的。但她一哭，他走得更快，脸上还添了愤恨的神态。

终于有一次，惠才忍不住拽住吕的手，边哭边说：“请你告诉我，你要恨我到几时？”

他一言不发，甩手走了。

惠才无法从吕那儿获得温暖，便越发想有一门事做，希望能独立生活，不依靠他人。她办了图书馆的借书证，努力看书，努力找工作。

县城边上有个西湖垦殖场，离县医院五里路。垦殖场是全民所有制，职工虽做着和农民一样的活计，但每月都拿工资。他们种水稻、芝麻、花生、豆子，也养蚕。惠才找到垦殖场的领导打听，得知二中队需要一个会计。惠才能写会算，领导同意她去当会计，一个月发二十七块钱。

来不及告诉吕，惠才立马决定搬过去上班，免得夜长梦多。搬家那天，她站在大门口环顾四周，毕竟在这里住了好几个月，看着眼圈红红的全秀，真是难舍难分。

这时，一个八十来岁的婆婆走到惠才面前，说："妹子呀，你是个有正气的人。你住的那个屋，不到一个月，死了十一个人。有一对做饼的浏阳夫妻，住不到三天就双双死在床上。搬走好，搬走好呀。”

听婆婆这么一说，惠才心里一颤。她想起天黑时一走进屋里，就莫名其妙地害怕，感到阴气逼人，难道是冥冥中的一种警示？一个人睡觉时，总有人在耳边絮絮不休，难道真是阴魂未散？最初那几夜，她被搞得心力交瘁，后来若不是全秀在旁，也许会被活活折磨死。

再望一眼屋子，惠才有了种死里逃生、还魂阳世的感觉。她知道队上遭过人瘟，但没想到这屋里竟然死了那么多人。队上有不少空房，偏偏让她住在这里。她深觉自己这条小命生来多舛，有点欲哭无泪。

末了，惠才紧紧地搂住全秀，说：“谢谢你，这段时间幸亏有你做伴，否则我早就吓出病来了。请你替我转告吕，说我搬到西湖垦殖场去了。”

· 11 ·

惠才搬进了垦殖场的一栋二层小楼，住在二楼挨着楼梯口的一间房里。

大队干部属于有编制的国家干部，他们都有自己的办公室，但中队会计是没有的。队里给惠才配了一张书桌、一个算盘和一些账本，她就在自己屋里算账。此外，她每天还要给中队职工记工分，按工分发工资。

惠才隔壁住着罗篾匠一家，篾匠老婆姓陈，还有一个七岁的女儿球球。再过去一户是个四十多岁的单身汉，黑黑胖胖的，长着一对小眼睛，成天笑嘻嘻的。

由于要替全中队的人记工分，惠才屋里总是人来人往，晚上也有人来。吕回家时，只要看到房里有人，转身就走。

罗篾匠见过几次，就问惠才："你的那位是家的还是野的，怎么见人就走？"

惠才说："他就是这样一个人，怕见生人。熟了就好了。"

有一次吕回来，惠才便说："好不容易回来一次，来回也有十里路，你不要看到屋里有人就走，好像见不得人一样。别人都问我这老公是家的还是野的。晚上我要帮人家记工分，屋里总会有人的。你可以坐在旁边和人家讲讲话，慢慢不就熟悉了嘛，他们都是些非常好的人。"

这么说过之后，吕好些了，但依然木讷寡言，跟人没什么话说。

不久，惠才发现自己怀孕了。

这是个晴天霹雳，它砸碎了惠才残存的读书念想。求学梦虽然越来越渺茫，但小家伙的来临算是彻底宣告了终结。怎么可能拖着孩子去念书呢？有了孩子，她从此就算是捆在这个一点也不像家的家里了。

自从离开学校，惠才就觉得自己像水上的浮萍，漂来荡去，过着不牢靠的生活。但她没有绝望，她还有追求，还有信念，那就是读书和找工作。为了追求知识，为了追求一个立身之地，她愿意不顾一切地咬紧牙关苦干。

而现在孩子来了，念书、前程这些都与她

无缘了。她还这么年轻，看上去比实际年龄还要小三四岁，不久以后却要挺着个大肚子出现在人前了。

惠才觉得怀孕真是丢人不过的事，她不好意思跟任何人讲，连吕都没告诉。

一天傍晚，惠才去罗篾匠家串门，他们一家人正在吃晚饭。

饭桌上有一大钵豆腐汤，上面撒了些葱花，还有一碗辣椒炒小虾。小虾是自己在田里捞的，绿绿的青椒和红红的小虾配起来很是好看。两个菜都非常诱人，一家人吃得有滋有味：豆腐汤喝得哧溜哧溜响，辣椒吃得头上直冒热气，球球更是辣得龇牙咧嘴，舌头伸出来半天都缩不进去。

惠才对那钵豆腐情有独钟，双眼直勾勾看

着，暗暗地咽着口水。那贪婪的眼神被老陈瞅见了，她连忙说：“你也尝尝我做的豆腐吧，味道不错。”惠才赶紧推辞：“不要不要，你们吃，我该回去了。”

惠才逃也似的跑回了家。到了晚上，她辗转难眠，肚里好似长了馋虫，特别想吃口豆腐。那碗放了葱花的豆腐在眼前晃来晃去，使她无法入睡。她想，为了吃到豆腐，这次非求吕不可了，等他回来，一定要他给她买几块豆腐。

盼啊，等啊，吕终于回来了。惠才迫不及待地对他说：“我想吃豆腐，下次请你帮我买四块豆腐回来。不要拖得太久，我实在太想吃了。”她特意讲四块，是怕他只买两块或三块，她真想一次吃个够。她突然变得这么馋，还以为吕会问一句“是不是怀孕了”之类的，但他没问，她也没讲。

过了一个星期，吕提着四块豆腐回来了。惠才欣喜地接过豆腐，一边表示感谢。这是结婚以来吕特意为她做的第一件事，她有种发自内心的感激。

随着时间推移，惠才的肚子慢慢地大起来。到外面摘菜、挑水、做饭，她都得腆着肚子走进走出。每当别人看着她的肚子，她就会忸怩不安，总是略略弯腰，把肚子一点一点地往后藏。

·12·

惠才一直是自己砍柴种菜，箪食瓢饮，怀孕

期间也不例外。她向来独立，自己能做的事就尽量自己做。

吕回家后会帮忙整土，他整出的菜土像一本书，有棱有角，土块均匀，无一根杂草。他锯柴时，锯了第一根，还要拿第二根去比长短。他码起的柴火就像泥工砌的墙壁那么平整。邻居开玩笑说：“你们家的柴火不能烧，烧掉可惜了，摆着多好看。”每做完一件事，吕都要花上很久欣赏，对着自己的活计看了一遍又一遍，似乎很有成就感。至于家务，扫把倒地了，他都不会扶一下。

一日，惠才刚洗完澡，穿好衣服，就听见了敲门声。头发湿漉漉地贴在头上，还来不及抹干，她立马对着镜子拢了拢头发，镜中有张红扑扑的脸。打开门看见吕，她又天真得像个小女孩，眼里发出喜悦的光。她开心地说："嗨，来得早不如来得巧，帮我抬下脚盆，把水倒进隔壁的尿桶里去。"

吕木木地坐在一把椅子上，说："自己的事自己处理，不要搞得娇生惯养。"

惠才气得连话都讲不出来。在吕眼皮底下，她用脸盆一盆一盆舀了水去隔壁倒掉。最后一点水舀不出来，她只好吃力地端着脚盆去倒，脚盆边沿正顶着她的肚子。

惠才再走进房里，已是泪流满脸："想不到你会对我不好。"

吕二话不说，拔腿就走。

吕再回来时，惠才肚里的毛毛已经八个多月了。

惠才对吕说：“我都八个多月了，你要多回来一两次，给我壮壮胆。”

“命要紧。”

“什么意思呀，命要紧，难道我会把你吃掉不成？挖土、种菜、锯柴火，你不想做就不要去做。你喜欢种菜，可我一个人能吃多少？红萝卜、白萝卜都是一篮一篮地送掉。其实我只想你多回来几次陪陪我。”

吕不吭声。再念叨，他还是那句“命要紧”。

惠才完全不知就里。

· 13 ·

一日下午，惠才的肚子突然痛起来。她决定不告诉任何人，把门闩紧，一个人在屋里走来走去。轻柔的风透过窗帘的缝隙吹进屋里，顺便钻进几缕淡白的阳光，还有丝丝春寒。

傍晚五点多，隔壁的老陈没看到惠才下楼做晚饭，起了疑心。她走到楼上，边敲门边喊："惠才，怎么还不去搞饭吃？"

听到敲门声，惠才哗哗地流下泪来，说："我不想吃饭，我已经睡觉了。"

"才五点钟，睡什么觉。开门，让我进来看看，莫不是要生了？"

"不是要生，我有点不舒服。"

“不舒服，更要让我进来看看。”

惠才不得不去开门。老陈一眼就看见惠才那张煞白的脸，忙问：“肚子痛得好厉害吧？这是要生了。”

“还好。”

“这个时候还要逞能，看你的样子就看得出来。得赶紧去叫吕医师和妇产科医师来接生，生人可不是好耍的。”

“千万不要去叫吕，我不想让他看到我这副样子。即使他来了，我也不会让他进门。”

“好好，我听你的。我先去煮点东西给你吃，等下你才有力气生毛毛。”

天色渐黑，来了好几个邻居。老陈说：“你们都去休息吧，这里有我在，有事我叫你们。”

民间有个说法，多一个人在场，就要多生一

个时辰。大家都懂这个规矩。

天完全黑了下来，吕同妇产科的华医师进来了。

老陈立马给他们泡上茶，说："医师，辛苦了。"

华医师在旧社会就是妇产科医师，漂亮又温和。她笑吟吟地问："什么时候痛起的？"

老陈说："谁知道？她把自己关在屋里，要不是我非得进来，她还不让人进来呢！"

"惠才，这就是你的不对了，要当妈妈了，还要小孩脾气。我来摸摸你的肚子，看宝宝什么时候会跑出来。"华医师一边说，一边把软软绵绵的手贴在惠才的肚子上。惠才感到一阵熨帖。

"快了，惠才今晚就要当妈妈了。"华医师不停地摸着惠才的肚子，一边和她说着话，“我知道，惠才是个坚强的人。生毛毛是很痛很痛的，等毛毛一生出来，你就会高兴得忘了痛。等下你要好好配合我，我喊你使劲，你就使劲；不喊你用劲，你就闭着眼睛抓紧时间休息。”

约莫过了两个多小时，华医师说：“惠才，乖，用劲，快要生出来了。”

惠才双手扳着床架，不停地用劲、休息、用劲、休息……一用劲，看到毛毛的头发了，一不用劲，毛毛又进去了……如此反复到凌晨四点，毛毛仍没生出来。

此时，惠才已经奄奄一息，头发湿淋淋地贴在脸上，床架子被她扳得不停地抖着。她满脸是泪，望着华医师说：“华医师，我使不上劲了，我不生了，让我死吧。”

不知何时吕进来了，他对华医师说：“我去叫王院长来开刀吧，剖腹算了。看样子，怕是难生出来。”

华医师说：“你也是个医务工作者，懂得能不剖腹就不剖腹的道理。能生出来的。”她脸上出奇地平静——几十年来见了太多难产妇女，换来今天的镇定自若。

吕念叨着：“这样下去会不会出事？”

华医师说：“你放心。”

天空从东边开始亮起来，太阳破雾而出，一抹阳光照进屋里，窗里窗外同时明亮起来。

赶来为惠才动手术的王院长刚踏进房子，就听见华医师大声说：“惠才，使劲！”惠才屏住气，浑身汗如雨下，双手将床架子扳得咔嚓咔嚓响。只听华医师高兴地喊了声："惠才，毛毛生出来了！"

"华医师，我想睡觉。"惠才筋疲力尽地说了声，眼睛一合就睡了过去。后面发生的事，像是把胞衣弄出来，给伤口缝针之类，她就像累死过去似的全然不知。

刚生出来的毛毛不会哭，脑袋被夹得长长的，眼睛肿泡泡的。华医师倒提着毛毛的脚，用力地对着脚板一阵拍打，毛毛这才发出轻微的哭声，如小猫一般。

华医师将毛毛包好，放在惠才旁边，又对吕说："对毛毛要细心一点，要是发现她嘴唇发紫，要赶紧倒提起来拍打脚板，直到打哭为止。"

· 14 ·

那日，吕总算在家待了一天，替惠才和他自己煮了面。

晚上临睡前，惠才对吕说："你睡在我脚头好吗？我下身好痛，起来一次很困难。要是毛毛哭，你起来帮帮我。"

"我怕血腥味，不睡床上。再说也不能搞得你娇生惯养。"说着吕便搬了床被子，睡在床边的躺椅上。

"床上没有脏东西，老陈全部拿去洗了，不会有血腥气。你睡在躺椅上，也怕感冒啊。"

吕还是坚持睡在躺椅上。

不知毛毛是哪里不舒服，一个晚上哭了好

几次。但小家伙居然能大声哭了，证明她闯过了初到人世的第一关，不会有危险了。惠才十分高兴。

可那哭声在夜深人静时格外撼心裂肺，弄得惠才惊慌失措。面对啼哭的婴儿，母亲的本能使她觉得拥抱是唯一的安抚。因伤口疼痛，她没法用坐姿，只能跪在床上抱起毛毛，不停地呢喃着、抚慰着。一晚上下来，整个人累得支离破碎。

吕在躺椅上呼呼大睡，没朝床上望一眼。

惠才又疲累又心寒，一边安抚毛毛，一边数落道："真想不到你会对我不好。关键时刻你总是袖手旁观，不肯帮一点。不知道我们算不算夫妻，你对我连个熟人都不如，还动不动就怕我娇生惯养。我跟你一起生活，何时得到过娇生惯养？你对我的关心不会超过对一支钢笔。认识你时，看着你的眼睛，觉得顶有柔情的，想不到你会对我不好……”

吕默默听着，不吭声，不反驳。惠才说了一会儿，便再也说不动了。

第二天早上，吕煮好了面条放在书桌上，说：“面条煮好了，我要去下医院，怕有事情。”

惠才生孩子，吕有七天假期，但他每天上午一趟下午一趟地朝医院跑，在家里根本待不上几个小时。

幸亏平日里惠才和邻居关系好，大家都常来帮她。她心灰意懒地想，有他没他都差不多，随他去吧。

惠才的奶水很多。她那时还不懂分娩前要用

淡盐水擦洗乳头，使乳头的皮肤变粗糙，吮吸时才不易开裂。结果，小家伙把乳头吸得四分五裂，横一道竖一道地裂着血口子。每次毛毛吸第一口奶，惠才都痛得全身发抖。吕拿了点紫药水回来，惠才把药水涂在乳头上，想让伤口早点愈合。可是隔不了多久又要喂奶，毛毛的嘴巴给弄得乌紫乌紫的。

七天假期一过，吕便上班去了。惠才还没恢复，不能跑去楼下做饭，就把饭食搭在老陈家里。

老陈她们对坐月子有特别的讲究，其中一个就是伙食里不能见一点青。据说产妇要是吃了蔬菜，便会落下拉肚子的毛病。于是每餐送来的饭菜不是蒸干菜，就是干豇豆、干刀豆，干得难以下咽。吃了一个星期，惠才就开始便秘，屙一次屎简直要一次命—— 豆大的汗珠一颗颗掉在地上，濡湿一片。没多久，她便生出了痔疮。

惠才只得向母亲求援。母亲赶来后，每天都变着法子给惠才煮一碗汤，什么小白菜汤、菠菜汤、鸡蛋汤……慢慢地，惠才的大便问题解决了，总算熬出了月子。

在精心呵护下，女儿的脑袋慢慢长圆了，漆黑厚实的头发盖满了后脖颈。按老规矩，婴儿都要剃满月头，也就是剃成光头，不留胎发。但惠才没这么做，留下了女儿的一头黑发。女儿的肿眼泡也消失了，代之以一双大大的双眼皮眼睛。

不过，吕对这孩子总有点隔膜，也许是他回来得太少，没跟女儿建立起感情。

· 15 ·

有女儿相伴，惠才觉得人生有了依靠，也有了责任和幸福。

天气好时，惠才就带着女儿站在禾坪里和大路上玩。路两边是水田，田埂上长满青青的草和不知名的小花。高一点的地方还长着几蓬迎春花，一串串金黄金黄的，煞是好看。她会折几根枝条，编成一个花环，戴在女儿的头上。九个月大时，女儿的头发就能编小辫了，惠才总要摘些小花插在女儿头上。

周岁那天，尚在蹒跚学步的女儿从惠才身上下来，一下子迈开步走了起来。一双小脚踩在粗糙的沙地上，显得结实稳当，沙子在脚底发出清脆的响声。小家伙发现自己会走路了，高兴得咯咯笑，走来走去，心花怒放。

看到女儿如此欢快，惠才也被感染了，心头那无法言传的沮丧也被驱散了不少。

一日，惠才带着女儿在大路上玩。越过大路右边的水田便是一片茶林，一蓬蓬茶树延绵到她们望不到的边际。雾气在叶片之间浮动，使那绿意忽而浓郁得耀眼，忽而又缥缈如烟。视野当中不见任何杂色，纯是绿色的海洋。

正是采茶的季节，女人们各背一个背篓，穿梭于茶树与茶树之间。远远望去，看不到人的具体轮廓，只有一个个身影在那里移动。惠才呆呆地望了一阵儿，觉得这个场景美极了，很想把它写下来。

晚上女儿睡了，惠才心里痒痒的，想写点什么的感觉盘旋不去。她悄悄地爬起来，点上煤油灯，又怕影响女儿睡觉，便用一本书将那方亮光遮住。随后，她轻轻地移过一张凳子坐下，居然有股欢快在心头涌动。她挥笔就写，钢笔在纸上唰唰唰地走过，一篇连她自己也说不清是抒情诗还是打油诗的文稿一气呵成。

惠才看了几遍，自觉还行，就用一个信封把稿子装好，写上地址，第二天请在县商业局上班的邻居代她邮寄了出去。

不到十天，惠才收到了县文化馆的一封信，告知她采茶的诗稿已被录用，发表在本地一本杂志上，请她去文化馆领稿费。

一种意想不到的快乐降临了。第二天，惠才早早吃过饭，向邻居借了根背带，将女儿绑在了背上。她容光焕发，喜滋滋地朝县文化馆走去。

那是个美好晴朗的日子。朝阳在薄雾中慢慢露出脸来，阳光穿透了母女俩的头发。女儿的小脚随着惠才的步伐前后晃动，小手不停地拍打着妈妈的肩膀，嘴里时不时发出咯咯的笑声。而惠才呢，总是情不自禁地去摸口袋里那封信，这小小的信封是多少物质都不能替代的呀。

这是惠才结婚以来头一次变得如此愉悦，她觉得世界是美好的，生活也是美好的。

在文化馆顺利地领到了钱，惠才便带着女儿去逛街。她替女儿买了饼干、棒棒糖、山楂片等零食，又去扯了几尺花布，准备给女儿做衣服，还买了一斤猪肉……一个上午就这么过去了。

正午时分，惠才走在街上，她估计吕在办公

室休息，决定不去打扰他，背着女儿快步朝家里走去。走至小楼附近，只见几个邻居都在那儿守着。见了惠才，他们个个面面相觑，欲言又止。

老陈走到惠才身边，帮她解开背带，把毛毛抱在手里，这才张口说："你走后屋里着火了，烧了点东西。莫急，没烧掉房子就好。"

"我屋里着火了？"惠才急了，边问边往楼上走，还没到家门口就闻见一股焦味。

门是虚掩着的，惠才推门进去，一张光秃秃的床出现在眼前，被子蚊帐全没了。吕给她的那只真皮箱烧掉了一半，吕那条藏青色呢子裤的半只裤管暴露在烧焦的箱子上。

惠才像截木头样站在屋子中央，似有万重山压得她喘不过气来，身子不由自主地发起抖来。她连忙靠住书桌，这才发出撕心裂肺的哭声，眼泪簌簌地淌到脸上、胸前。

女儿被哭声惊醒了，老陈抱着孩子挨着惠才站着，还有几个邻居也来了。大家纷纷劝慰惠才：“没有多少东西，就是一点铺盖和几件衣服烧掉了，不必这么难过。”“留得青山在，不怕没柴烧。千万别急坏了身体。”

火是从床边的火炉里燃起来的。火炉底下还有点余火，窗子没关严实，风将蚊帐下摆吹进了火炉里，蚊帐被点燃了，接着点着了被褥，连带烧到了床另一头的箱子。幸亏有人发现窗子里有烟冒出来，赶紧把门打开，及时扑灭了火，这才没有殃及房子。

老陈说：“我们不知上哪里找你，就叫球球她爸找吕医师去了，说不定他很快就到。你肯定还没吃饭，先去我那里吃饭。”

惠才呜咽着:“我哪里还吃得下饭，气都气饱了。”

“那不行，人是铁，饭是钢，碰上再不得了的事也要吃饭。”老陈边说边挽着惠才，要她去吃饭。

两人刚跨过门，就见吕扛着一个大纸箱回来了。惠才连忙帮他把纸箱从肩上卸下来。打开一看，里面是被褥、床单、枕头，垫的盖的一应俱全。

吕没看惠才一眼，自顾自地将东西一件一件拿到床上，说:“这是医院帮我们买的。这下好了，我们吃救济了。”

望望吕的脸，他面无表情，一时看不出什么态度。惠才向来心思敏感，顿时觉得很对不起吕。着火由她一人造成，是她害他做不起人。他曾是个有钱的单身汉，一人吃饱全家不饿，穿的是高级衣服，盖的是湘绣被面的被子，连院长外出开会都要向他借身衣服来充阔气……如今却要单位来救济，他这么要面子的人，心里一定不是滋味。

惠才又想到自己的命是如此不好，活得如此窝囊：学没上成，也没找到个正经工作，若有个温馨的家，倒是莫大的安慰，却不承想吕对她如此冷漠。

她真的绝望了，再也受不了了。她冒出一个念头，不想活了，懒得活了，她要解脱。

· 16 ·

有那么几天，惠才在心里不断对自己说："死掉算了，死掉算了。"但一想到女儿，又迟迟下不了决心。

终于有一天，她似乎想明白了，有些小孩一生下来，母亲就死了，不也同样长大成人了吗？她把心一横，决定付诸行动。她要把女儿托付给老陈夫妇，老陈人善，又喜欢女儿，她可以放心。

不过，结束生命毕竟是件大事。在最后的时刻，她想好好回顾下自己短短的人生，看看是什么促使她走向绝路的。

那晚，惠才躺在床上，面无表情地望着天花

板，看似平静，内心深处却在为是死是活而苦苦挣扎。她觉得命运太捉弄人，每次看到一点点希望，结果却都像肥皂泡那样消失了。

她渴望有个温暖的家，有个善解人意的丈夫，可是偏偏遇到一个如此冷漠的人。跟他讲夫妻需要互相体贴爱护之类的话，他就像鸭子听雷一样浑然不觉。但又不能说他是个恶男人。他不骂人、不打人、不抽烟、不喝酒、不打牌，更不会和别的女人搞暧昧。只是他那种冷漠的性格，实在让人无法忍受。

其实吕也是个可怜人。他告诉过她，他十岁那年得知自己不是母亲亲生的，痛苦得说不出话来，躲到一堆稻草后面整整哭了一下午。童年、少年岁月在他内心留下了伤痕，才让他对家庭如此冷漠。

除了女儿，她什么希望都没有。可女儿还小，如今只是生活吊着她罢了。精神的饥饿才是她的致命伤，伤在灵魂。非要苦苦撑下去，活着受罪，又是何必呢？她一个弱女子，无须在这炼狱般的婚姻里磨炼自己……

苦思冥想也想不出个究竟。天快要亮了，月牙斜斜地挂在天边。

惠才脑袋晕乎乎的，脸色比月光还要惨淡，五脏六腑好像都放错了位置。她轻轻地从床上爬起来，走到书桌前，拿出一张纸，给吕写了几句话。她请求他把女儿交给老陈好生照顾，有球球做伴，女儿也不会寂寞；看在夫妻一场的分上，千万不要把女儿送到他老家去。末了她写了一句：“如我在天有灵，会保佑你们父女。”

写好纸条，惠才将眼睛移向晾衣服的棕绳。她拿过绳子，踩着凳子爬上窗边的书桌，然后把绳子系成一个圈，挂在窗框上。只要把头套进这个圈里，让脚离开书桌，生命就可以了结了。把头伸进绳圈的那一刹那，她忍不住望了一眼床上的女儿。只见女儿睡得正香，红扑扑的圆脸带着微笑，嘴角淌下一线晶莹的口水。

这一看，惠才心底的母爱瞬间苏醒了，怜悯震撼心弦，强忍的泪水噗噗噗地滴落。她心底暗叫一声："女儿无辜呀！"每天女儿醒来，第一件事就是甜甜地叫声"妈妈"。要是今天醒来，妈妈已不能应答，这幼小的心灵将如何承受得起！

"我生了她，就该养她。"惠才念叨着，失去了勇气，无论如何不敢将头再伸进绳圈里。

她爬下桌，轻轻回到床上，把女儿紧紧搂在怀里。“我怎么能做这种蠢事！丢下女儿不管，只顾自己脱身，还能算个母亲吗？”她狠狠骂着自己，下定决心以后不管再苦再累，也要将女儿好生养大。

两个多月后的一天，惠才正抱着女儿看一本小人书，邻居带了个公安干部来到家里。

那干部坐定，先确认了她就是陈惠才本人。“我是来给你落实政策的，现在有个新政策，你正好能用上。第一，夫妻双方都不是本地人；第二，在本地农村无依靠；第三，家中无劳动力。这三条都符合的话，就不应该是下放对象。”他边说，边从挎包里拿出一份表格递给惠才，“你仔细填好后交给我。机会难得，希望你不要错过。”

眼前这个五十多岁的公安干部，他讲的每句话都透着关切和温暖。惠才感动得泪眼模糊，她立马用手揩掉眼泪，说：“我会好好填的，谢谢您。”

惠才原以为自己这辈子注定只能当个农民了，不料喜从天降。政策很快就落实了，她领到了购粮证，吃上了商品粮，成了非农业人口。

· 17 ·

惠才吃到了商品粮，可工作却没了。中队会计是没有编制的，既然她不是农业人口，就不能在队里拿工分。

暂时找不到合适的工作，惠才便常常背着女儿上山砍柴。她将砍好的柴火捆好，从山上滚下去，再背着女儿慢慢下山，山路崎岖不平，每走一步都要小心翼翼。

一日，惠才正在山上砍柴，远远地望见吕回来了。她立马背起女儿，说："我们回家去，爸爸回来了。"每次见到他，惠才总像初见那般高兴，走至身边，却见他脸色灰暗，嘴唇毫无血色。

吕说："我照了个 X 光，医师说我的肺部穿了三个孔，右边两个，左边一个。下次救护车去省城时，我要跟着去那里的大医院，重新拍片子确诊一下。"

惠才说："从没听说你有肺结核，怎么一下

子就穿了三个孔呢？是不是搞错了片子？”

吕说，他是在部队得的病，当时还不满二十岁，是连长传染给他的。连长喜欢吕，老叫吕去吃他的菜，吕不知连长有肺结核，或许连长自己也不知道。后来吕大吐过四次血，差点没了命。那阵子，治疗肺结核的特效药尚未问世，幸亏部队一直为他提供鱼肝油，保证他的营养。转业后，吕尝试过无数中药和土方子，有的管点用，多数疗效不佳。直到有了青霉素和雷米封，他才算是得救了。

惠才终于解开了生活中的一个谜团。她从前不解为何吕总是说“命要紧”，原来是讲他有肺结核，不能劳累。肺结核在旧社会叫痨病，病人要吃好的，且不能太操劳。惠才将养的两只半大鸡和一只兔子请人杀了，弄给他吃，又向邻居买了鸡蛋，替他增加营养。

吕跟着救护车去了省城，吉凶未卜。惠才在家度日如年。她在日记里写，要是吕有什么不测，她也不会再结婚，就带着女儿过日子；她恨透了婚姻，更害怕婚姻，她的命就是这么苦，注定一辈子得不到幸福……

三天后，吕回来了。省城医院和本院的检查结果正好相反，他的肺结核病灶完全钙化了，也就是说肺结核好了。医师还说，他去考学校都没问题。吕又变得有生气了，一心一意投入到工作中去了。

吕有天告诉惠才，医院买下了拖拉机站的几套平房，他可以分到两间。房子离医院很近，他今后可以回家居住和吃饭了。

过了几天，吕满面春风地回来了，进门就对惠才说：“我拿到钥匙了。吃了饭，我们就去看房子。”

惠才喂饱女儿，自己胡乱扒了几口饭，就背起女儿和吕一起去看房子。

那是一排平房。吕分到的两间房，门是并排的，但彼此不连通，好似两户人家。房子地基垫得高，门前台阶有一米半宽，各家各户都用来堆放柴火杂物。一间房后面带了个小厨房，厨房后面是片空地，可以用来种菜。厕所是公用的。

惠才花了两个上午把房子打扫干净，就搬了过去。

如此惠才算是真的脱离了农村。吕也觉得自己有了个家，从此除了值班，都回家住。

· 第二部 ·

· 1 ·

惠才和吕像周围的夫妻一样过起了日子。吕上班，惠才洗衣、做饭、带孩子，两人一起种菜、砍柴——这两样事是吕愿意和擅长做的。

多年的单身生活，使吕养成了不受束缚的习惯，一时半会儿还不适应有个家。发了工资，他总会先买上几样零食回家。同事来串门，他就和同事一起吃着零食聊着天。看他那快活的样子，惠才感觉那才是他想要的日子。

好几次，惠才原想留着给女儿垫垫饥、甜甜嘴的小食，转瞬就没了。她对吕说：“以后来了客人，零食不用统统拿出来一口气吃光。这样下去，买米都会没钱。”

“我一直是这样的，别人来了，就要让人家多吃点，不能小里小气。我一个人的时候，每个月还要去对门那个店里赊两次零食，发了工资就赶紧去还。人家都愿意赊给我。”吕口气中颇有几分自得。

“如今比不得你单身时，我们是三口之家，将来还会再添人口。结了婚就是居家过日子，处处都要计划，不能靠借钱过日子。”

惠才一门心思想找个工作贴补家用，那样

一家子就不必全靠吕一个人的工资养活了。听说医院的中药仓库需要切药的人手，她赶紧跑去应工。

中药仓库是一幢老房子，泥砖墙壁，灰白的两扇大门，门上两个斑驳的铜环显示了房子的年头。惠才每天都带着女儿早早地等在门口，保管员开了门，她便进去切药。

切药其实是铡药。人坐在装有铡刀的长凳上，将各种药材放在刀下切。长长的药材经过铡刀一上一下，便成片或成段耷拉着掉进撮箕里。草本植物容易铡，木本植物往往很硬，要放进缸里泡上三四天。像最常用的甘草，就有着手指那么粗硬的藤蔓，非得泡软了才能铡得动。

铡药的几位女工都是医院职工家属，没有正式工作。两位先来的女工对铡药已轻车熟路，她们耐心地教导惠才，比如铡药前要先磨刀，铡刀磨得飞快雪亮才好使；左手要如何拿药才不会铡着手。

切一个月的药，能挣到二十六七块。这笔钱加上吕的工资，好好筹划一番，日子好歹能过下去了。蔬菜自给自足，猪肉、菜油、布料都需凭票购买。每月买到手的东西少得可怜，连买块豆腐都要起早去街上排队。

家中大小开支，吕一概不管。好在他渐渐不再乱花钱，单身时大手大脚的习惯收敛了许多，每月几十块的工资都如数拿回家。

· 2 ·

一九六六年，“文革”开始了。吕不擅和领导打交道，又背着个地主成分，看到同事一个个被揪，他犹如惊弓之鸟，生怕哪天轮到自己。幸亏他平时为人老实，最高也只当过科室主任，没有成为攻击的目标。但只要有下乡任务，吕总是首当其冲，每次都只能忍气吞声。

那年，惠才养了只黑兔子，给女儿当玩物。兔子几个月便长到了三斤多，一身黑毛油光发亮，一对红眼睛晶莹闪烁。惠才好几次想杀掉兔子来改善生活，却都没舍得，结果就一直养着，成了只宠物。

有段时间，几户邻居都遭了小偷，惠才也很

担心别人来偷兔子。夜里兔子用只木箱放在门前台阶上，不知为何就没想到将箱子端进屋里。

一天深夜，果真有人来偷兔子了。惠才被兔子的尖叫声吵醒了，抖抖索索从床上爬起来，站在门后面，身子过电般抖着，生怕贼会撬门而入。她绝不敢冲出门去，只能颤颤巍巍地喊：“打贼呀，打贼呀！不要偷我的兔子，不要偷我的兔子！”

窸窸窣窣一阵后，一切归于平静。惠才知道，兔子被偷走了。

第二天一早，惠才抱着点侥幸，打开门先去看兔子，木箱里空空如也。她又生气又委屈，忍不住大哭了一场。那么大一只兔子，吃都舍不得吃，却被偷掉了。要是吕没下乡就好了，他肯定敢起来打贼。老二在肚子里，她已是个孕妇，医院也不照顾一下，总是要吕下乡。

吕从乡下回来了。惠才告诉他，兔子被人偷掉了，她听到兔子叫，但一点办法也没有。“要是你在家就好了。”她遗憾地说。

未料吕反应激烈，一个劲地质问惠才：“你是好人还是坏人？好人怎么会怕贼？贼是坏人呀！你就不能起来捉贼？”

“我是好人，但我怕贼，因为贼是坏人。我连门都不敢开，吓得站在门背后发抖，一直叫着‘不要偷我的兔子’。要是你在家就好了，你不怕，可以起来捉贼。”

吕不语。惠才心想，他也是一时之气，责怪几句就责怪几句吧，他也心痛呀！那么大一只兔子，一直舍不得杀来吃。

谁知到了半夜，吕坐在床沿上又开始追问：“你到底是好人还是坏人？好人怎么会怕贼？怎么就不敢开门？”

惠才说：“我是好人，但我怕贼，我晓得我打不过贼，反会被贼打死。你以为我不难过、不心痛吗？你这样不讲道理地质问我，我怎样回答你才满意？兔子偷掉了，我也很伤心，大哭了一场，我又对谁去出气？你想过我的心情吗？不要多，哪怕一点点，你也不会一遍又一遍地责怪我……”

见惠才当真生起气来，吕不出声，起身走开了。

天麻麻亮，惠才就起了床，装了满满一桶要洗的衣服，痛苦又茫然地朝着河边走去。想到吕对自己的伤害，她无奈至极。

时辰还早，路上没什么人。走上两百米，就到了通往河堤的阶梯，惠才拾级而上，站在河堤上尽情地大哭了一场。后来，她停下哭泣，一级一级地下到河边，走向洗衣的青石板。她蹲下来，凝望着清亮的河水和水底下游来游去的小鱼。挨着河水的青草，流苏般随着河水缓缓流动，整齐有致地斜斜浮在水面上。

“小陈子，这么早呀！我还以为我是第一个呢！”突然听到有人叫自己，惠才连忙捧了把河水洗掉满脸泪迹。回头一看，原来是邻居赵师母挑了一桶衣、一篮菜来洗。惠才赶紧让出地方，两人并排蹲在青石板上。

惠才向来讲体面，哪怕正在伤心，来了熟人，她也会迅速抹掉眼泪，笑脸相迎。她装作快乐的样子和赵师母一起洗衣服。捶衣的声音高高低低地响着，肥皂的泡沫随波流去。

洗好衣服，惠才和赵师母一同回到家中。阳光照进房间里，女儿还在甜甜地睡着。惠才暂时忘却了那只要活着就会持续下去的纠结，也忘却了纠结永远不会消失的事实。

· 3 ·

惠才的二女儿没受什么苦就来到了人世间，比她姐姐要幸运得多。生产当然很痛苦，但也蛮顺利，仍是由华医师接生。吕也从乡下回来了。

产后第二天，惠才还睡在床上，就闻见一股

饭烧煳的气味，不用想也知道是自家的饭煳了。她忍着疼痛爬起来，走进吕的房间，里面没人。她只得去厨房，只见锅子里的饭在冒烟，而灶里的火熊熊燃着，红黄的火苗伸出灶口，好像蛇芯子舔着空气。

吕自然是去医院了，他一直保留着单身时的习惯：早上起来就惦记着要去单位看看。

惠才只好重新做饭。除了做饭，她还要洗衣服，打扫卫生，替三岁半的大女儿洗澡，完全不像个坐月子的人。

厨房离卧室有三四米远，两头跑很不方便，吕便慷慨地买了几麻袋木炭，又买了个泥炉子放在卧室门口。木炭烧燃后火苗很旺，煮饭、炒菜、烧水都很方便。

一日中午，吕回家吃饭。饭已煮熟，但后加的木炭还没烧旺，惠才一边用蒲扇扇着火，一边煎鸡蛋。吕见火迟迟不旺，很是烦躁，提起锅子就往地上一丢。熟铁锅发出一声金属的脆响，颤了几颤，完好无损地停在那里。而鸡蛋倒在旁边，黄黄的一大块。

惠才气得边哭边说："我不做饭了，大家都不要吃了。我月子里带着两个孩子，除了一日三餐，还要做家务。一餐饭没按时做好，你居然能发这么大的火，实在太过分了。真想不到你会对我不好。"

说完，惠才从木盒里拿出一枚钉子和一个铁锤，往墙上钉钉子。她又气又急，一下子锤到了自己的手，血珠像一只黑圆的虫子从大拇指上缓缓钻出来。她忍着痛将钉子钉好，把锅挂在墙上，以示抗议。

吕一声不响地走了。

· 4 ·

有时惠才也会走点好运。

有户邻居是天津人，大家都管男主人的妈妈叫天津奶奶。天津奶奶平日在外地给人帮佣，偶尔回儿子家住一段。她见惠才刚生完孩子就要做那么多事，便常常来帮惠才洗东西，惠才因此少受了许多罪。

天津奶奶五十多岁，看上去有六十多，但她身体硬朗，一张满月般的脸，头发朝脑后梳成一个髻。一双脚裹得很小，脚背弓得老高，走起路来很有劲，发出咚咚咚的响声。她脚小，人又比较胖，两个布袋大的奶子藏在空荡荡的斜襟衣服里，随着步伐晃个不停。

天津奶奶十七岁结婚，十九岁生下儿子，儿子不到半岁时，丈夫就撒手人寰。她没有再嫁，一手把儿子拉扯大。儿子长得周正，参了军，转业后分在县政府当了个干部。儿子成家后将她从家乡接来一起住，儿媳妇也是北方人，比儿子还高大。

天津奶奶帮忙带大了四个孙女、两个孙子，多年来为儿孙做牛做马，一双手从不闲着，除了里外粗事，还要做全家的针线活。孩子们长大后，儿媳妇却再也容不下她，整日找碴儿吵架。

为了让儿子一家过个安稳日子，天津奶奶选

择外出当保姆。她一年四季只回家一两次，赚的钱如数交给儿媳妇，供孙子、孙女读书。即使后来孙子、孙女都参加了工作，天津奶奶也仍在外当保姆。

那天摔了铁锅后，吕自知理亏，第二天买了一只母鸡回来，亲手煮好，盛了一碗给惠才。

惠才说："盛一些给女儿，你自己也吃，别光让我一个人吃。"

吕说还买了猪脚，他吃猪脚。惠才便和大女儿一起，把那只两斤多的鸡分几次吃了。

惠才想，吕毕竟不算是张牙舞爪的人，她也不能得理不饶人。为一件事追究下去又有什么用呢？气个半死，到头来还是要守着这个家。

二女儿有张垂圆形的脸，大大的眼睛，雪白

的皮肤，两个脸蛋总是红嘟嘟的，手脚如藕节一般，又特别爱笑，谁见了都会抢着抱。

吕慢慢地也会抱下二女儿，有了点做父亲的样子。他抱孩子和别人不同，先是用左手托住女儿的屁股，让她脸朝外，右手再拦腰抱住。小家伙就像坐在一把靠背椅上，这椅子能随时移动，能看到外面的世界。二女儿很乐意要吕抱。

· 5 ·

三个月大的二女儿长得健康、结实、好看，人见人爱。邻居文医师的妻子在差不多的时间生了个儿子，可惜产后没一点奶水，婴儿也长得瘦筋筋的。

文医师的母亲姓刘，众人都喊她刘婆婆。一日，刘婆婆抱着小孙子来惠才家串门。惠才正在给女儿喂奶，女儿咕咚咕咚地大口吸着奶，仍是吞咽不赢，白白的乳汁从嘴角两边溢出来。

“惠才，你到底吃了什么好东西？那么多奶水，还特别养人。”刘婆婆羡慕不已地捏了捏二女儿的身子，“你看这小手小腿上的肉多结实，我孙子要是能有这一半，我就知足了。”

“刘婆婆，你看我这条件能有好东西吃吗？我就是喝碗白开水也要过到奶上去。我自己瘦得连裤子都穿不住了，扣子移了又移。白天还好，让她多吃几回，晚上奶水老是流出来打湿衣服，也蛮烦人的。”

“你这奶水只怕能养两个孩子？”

“我不晓得，又没试过。”

“惠才，你帮我个忙，让我孙子吃点你的奶好吗？你看他长得皮包骨样。”

“好哇，反正吃不完。”

“我还是拿点营养费给你。”

惠才一听，顿觉血往上涌，脸在发烧。她想自己还不至于穷得去当奶妈，连忙说：“刘婆婆，你要这样讲，我就生气了，我怎么会要营养费呢？”

二女儿吃饱后乖乖睡了。惠才轻轻地将女儿放进摇床里，盖好被子，随后对刘婆婆说：“我这边的奶子还没吃过，看你孙子肯不肯吸？”

惠才抱过刘婆婆的孙子，让他的小嘴巴挨着自己的乳头。吃果然是人之天性，几个月大的婴儿就知道要吃。这小家伙一下含住了惠才的乳头，拼命吸吮着，这是他初次尝到母乳，肯定别有一番滋味。刘婆婆在旁看得两眼放光。

一只奶就把小家伙喂饱了，刘婆婆心满意足地抱着孙子回去了。不一会儿，刘婆婆端来一大碗挂面，一定要惠才吃掉。

惠才说：“我吃饱了，不想吃。我奶水多，但吃东西不算厉害，你这一大碗面真把我吓到了。”

刘婆婆说：“你多少都要吃点，增加些营养。”

看着她殷切的样子，惠才只得夹了点放进嘴里尝了尝。这碗面看上去绵软、光滑，闻起来香气四溢，不知为何却不怎么好吃。此后刘婆婆每次抱着孙子来吃奶，都会端上一大碗面条。可惠才坚决不肯吃，她只好又端回去。

除了惠才的奶水，这小男孩也吃些奶粉和米

粉。也许是东西吃得杂，小家伙拉起了肚子，结果非但没长胖，还因腹泻又瘦了点。后来小家伙渐渐长大，不再来吃惠才的奶了，但两家的关系变得更密切，来往也更频繁了。

·6·

大人过一天，小孩过一天。在苦甜夹杂的日子里，孩子们自然而然地长大，二女儿已经会坐了。惠才买了把小孩坐的竹椅子，靠背弯弯的，两个扶手间有道横杠。她做事时，就让二女儿坐在椅子里。大女儿很乖，总是拿个小板凳坐在妹妹面前陪她玩。

不久，惠才又能出门工作了。不管艳阳高照还是刮风下雨，每天早上八点，她都会带着两个女儿去切药。大女儿走在前面，惠才左肩挂着二女儿的小椅子，双手抱着二女儿，母女三人有说有笑地走在路上。擦肩而过的人总会多看她们两眼。

遇上熟人就停下来讲几句。惠才为人诚恳，言谈也算有趣，聊天很快就变得热络起来。别人常常夸赞女儿们漂亮可爱，说有其母必有其女，惠才听了满脸欣喜，心头立马涌上一股短暂的愉悦。

惠才就这样每天起早摸黑地切药、带孩子、做家务……吕仍是老样子，种菜劈柴可以，家务是不愿做的。

一天早上，快到八点了，还有一桶衣服没晒出去。惠才对吕说：“你帮着带下孩子，我把这桶衣晒出去，今天有太阳，到晚上就干了。”

“我要去上班。”

“不会耽误你上班，我很快的。”

吕不管不顾地朝外走去。

惠才拦住他说：“每次要你帮忙，你都不肯。这都是一个家的事呀！你是个铁石心肠的人。”

“夫妻之间谁做多点谁做少点，有什么要紧？何必要斤斤计较、论斤称两？”

“你一点家务都不肯分担，还说我斤斤计较。你怎么是个如此不讲道理的人？只怪我瞎了眼，碰到你这种人。”

每次争吵都吵不出个名堂。吕不作声，只恨不得脚底板抹油，逃之夭夭。惠才只能以大哭一场告终。吕从不会劝慰人，就算惠才哭死，他也不会说一句话。

惠才总是欺骗自己，勉强自己，只想把日子往好里过。嫁鸡跟鸡嫁狗随狗，这观念在她脑中根深蒂固，无法动摇。她老盼着吕会改变，会对她好一些。偶尔他表现出一点点体贴，她就满怀希望，似乎看见了一丝曙光，一遍遍地对自己说："他会对我好的，他会对我好的。"可只要一瞬间，他又会亲手毁掉她感动的心情。

每次冷战或热吵，说到底，惠才都是气恨于吕的不体贴、不关心。外面形形色色的人，吕都会尽量去帮助、庇护，唯独对身边的妻子不闻不问。吕又是个油盐不进的人，她拿他毫无办法。如今有了两个孩子，惠才越来越认命了，认了命就没那么痛苦了。这又能怨谁呢？只怨她自己嫁错了人。

· 7 ·

一日，惠才切完药回到家，吕已把饭煮熟了。今天真是太阳从西边出了，惠才心里纳闷。她立马去炒菜，然后一家人开始吃饭。

吕没看惠才，望着菜说："我要去茅草岭种药，半年时间。"

惠才"啊"了一声，夹菜的筷子停了下来。她直视着吕，说："你不是才从乡下回来，怎么又要走？每次下乡都有你的份，实在是欺人太甚。你就不能提提意见吗？是谁通知你的？"

"林主任。"

"我明天去找他，就是那个姓林的马屁精吧。"

吃着饭，惠才再次望向吕，只觉他比初识时瘦了许多。结婚以后，他虽不做家务，但种菜、砍柴这些活计还是干的，肯定要比从前劳累些，营养又没及时跟上。惠才下定决心明天要去找姓林的说说，看看这次能不能放过吕。

次日，惠才去医院切药，先去了姓林的办公室。

她开门见山地说："林主任，每次下乡老吕都去，这次能否照顾一下？他得过肺结核，一劳累就容易复发，这次去的时间又长，只怕他吃不消。那些从不下乡的人是不是也该去一次？至少大家轮一轮哪。"

"别人家都有困难。"

"要讲困难，我家的困难更大。两个孩子都小，我和老吕又没有父母亲戚帮忙。老吕走了，剩我一个人带着两个小孩，你说困难不困难！”

“你能干，你能干。”

“这就是你们要老吕下乡的理由？”

“这次安排好了，没办法。”

“这次万一老吕一病不起，你们可要负责任哪。”

惠才觉得自己就要哭出来了，立马转身走了出去。此事已是板上钉钉了，吕这一去又要半年，她非常难过。

第二天，去茅草岭种药的人便要坐医院的救护车进山。

惠才上午没去切药，眼里噙着泪水，把吕的衣服一件件装进草绿色的帆布包里。她整理着行装，一边一遍遍地交代吕：“吃好点，身体要紧。

有病一定要请假，不要硬撑着。不要跟领导斗。人在屋檐下，不得不低头，背着这样一个出身，凡事都要忍耐。若要钱用，就跟回来的人讲一声，我会托他们带钱给你。有时间给我写写信，说说你的情况，特别是健康状况。”

下午，惠才带着两个女儿去送吕。母女三人站在医院门口，望着吕的一举一动。吕就像没看到她们一样，面无表情地上了车。惠才示意大女儿去跟爸爸道别。吕这才转过身来，站在车门踏板上牵了牵大女儿，抱了抱二女儿，却始终没有看一眼泪花闪烁的惠才。

一会儿，一脸大麻子的司机爬上了驾驶座，神气地发动了车子。车子一声轰鸣，无情地将吕带走了。

惠才带着女儿们无精打采地回了家。吕不

在，她顿觉家里好空荡、好冷清。随后她自顾自地倒在床上，默默地流了会儿眼泪。

茅草岭种药的负责人姓刘，他能经常回家，种药那些人的伙食费也由他带进山。

一日，刘队长来找惠才拿钱。惠才告诉他，吕的身体不好，请他多多关照，又说吕走了两个多月，未见到片言只字，实在让人担心。

几天后，惠才终于收到了一封信，她如获至宝，小心翼翼地拆开来读。

陈惠才同志：

你托刘队长带来的钱收到了。我买了只水桶（洗澡要用），还买了两把木椅子，是山上的小松树做的，回家时带回去。其余的钱都买了饭菜票。

信写完了，没有问候，也没有祝福。落款处的名字倒是非常醒目，简直是龙飞凤舞。

惠才一连看了两遍这封清单似的信，心里感到温暖，眼中居然有了泪花。都说见信如面，看着这封信，她似乎感到吕就站在面前和她讲这些事情。

惠才又想起刚认识吕那阵子，她不准他去学校找她，说有事就写信。一日还真的收到了吕的一封信，她的心兴奋得几乎要从胸腔里跳出来，信还未拆，脸就开始发烧，猜想他总会写点与思念有关的缠绵话语。她避开同学，躲到一个角落里拆了信，发现他居然写了一整页自己看完医学杂志后的心得……她大失所望。

相比之下，这封信倒要好些。

· 8 ·

文枝家离医院也就半里路不到，但惠才很少去玩，一去就要拖着两个孩子，她总怕麻烦人家。

文枝早不在食堂工作了，被调去中药房捡中药，白大褂一穿，越发朝气蓬勃。她为人热情大方，工作卖力，又不计较个人得失，很得人心，过得风生水起。相比之下，惠才就窝囊多了。

一日，惠才实在郁闷，似有千言万语想找个人倾诉，便去了文枝家。见到文枝，她有种委屈得想哭的感觉。

正和文枝说着话，隔壁的帅婆婆来了，文枝热情地邀她坐。谈话间，帅婆婆对惠才说："你刚来那阵子，我觉得你比文枝小好多，现在看起来好像差不多大了。"

惠才听了很难受，本能地用手摸了摸自己的脸，说："让小孩磨的。"

帅婆婆一句无足轻重的话，让惠才念念不忘，回家后立马去照镜子。眼前是一张苍白的脸，红晕褪尽，记忆中那个美丽少女的模样早已模糊，就像烟圈样无法在空气中保持形状。这么多年来，读书的愿望早已破灭，整日就是带孩子、做饭、洗衣，窘迫又孤独。忙不完的家务、放不下的担子，生活像磨盘似的一成不变地转动，人又怎么快活得起来呢？

一转眼，吕已离家三个多月，别人都回来探过亲，唯有他从未回过家。他向来工作极其认真，这回也是一心一意种他的药去了。

吕不在家，上山砍柴也只能惠才一个人去，不像从前还有个伴。一日，惠才搭便车进山砍柴，半路下了车，从公路边一条通往山中的小径进了山。

砍柴倒也容易，两个小时就能砍上一大堆树棍。最难的是搬上公路，大的树只能掮一根，小点的拿两根，而密密匝匝的灌木使人无处下脚，每走一步都十分艰难。

有一棵饭碗口粗细的杂树，惠才砍了很久都砍不断，最后累得连刀都举不起了，树还差一丁点断不了，就像打断了骨头还连着筋。

惠才安慰着自己，想着歇一会儿，攒攒力气再说。谁知刚坐定便听见咔嚓一声，那树以迅雷不及掩耳之势歪下去，斜斜擦过她的身子，倒在一旁，随即噼里啪啦一阵乱响。

惠才僵立在原地，惊得一动不能动。倒地的树在眼前弹跳了几下，终于安静下来。她低头一看，里外两件衣服，扣子一粒不剩，全都被那股巨大的冲击力震掉了！刚才若有分毫差池，铁定就没了命。她呆呆地盯着自己白森森的肚皮，不敢相信自己居然毫发无损。

过了会儿，惠才慢慢回过神，就近砍了一根树藤，把衣服拽拽好，用藤条缚住。

后来，惠才发现有些人家从烧柴改为烧锯末，她也学着把灶改造了一番，开始烧锯末。

一日，惠才搭车去一个专门锯板子的工棚搬锯末。偌大的场地，到处都堆放着枕木，像一座座小山。司机停好车，惠才便走出驾驶室，飞快地爬上车厢，想把车厢扫扫干净，待会儿好放锯末。

好心的司机发现停车处离放锯末的地方远了些，没和惠才打招呼就开始倒车，却一不留神撞上了旁边的枕木。惠才当即从车厢里弹了出去，重重地摔在一米多远的枕木上。她霎时眼冒金星、云里雾里，肚中一阵翻江倒海，忍不住大吐起来。

司机毫无察觉，仍安安稳稳地坐在驾驶室里。吐了一阵儿，惠才弯着腰，双手压着隐隐作痛的肚子，走到驾驶室旁，告诉司机她刚从车上摔下去了。司机问："你没事吧？锯末不搬算了。”

“还是想搬一点回去，来都来了。”可惠才只搬了几撮箕锯末，就感觉自己吃不消了，她费力地爬进驾驶室，提议回去。

司机将车停在一个水泥斜坡上，惠才把锯末卸下来，摊在坡上晒晒干。

去搬锯末时，天还好好的，太阳从云彩缝里放出光来。不承想一过中午，天空骤变，乌云川流不歇，雨点迫不及待地融在一起，仿佛商量好要来一次恶作剧，转瞬就噼里啪啦地砸了下来。

这一场大雨，把惠才差点用命换来的锯末冲得干干净净。

· 1 ·

吕每次下乡都要带足钱，家中经济还是十分窘迫。听说药材公司要人装药，一块三毛钱一天，比切药挣得还多些，惠才便决定去药材公司做小工。

药材公司有很多仓库，收集进来的中药分门别类堆在各个仓库里，装好后运往外地。惠才首先要做的便是打篓——把中药装进特制的篾篓子里。篾篓子有一米多高，直径七八十公分。装药时，先把篓子打开摆好，再把堆在地上的中药装进去。每个工人都手持一根扁木棍，边装药边用木棍敲打篾篓子，将药夯紧实。药装满后，盖上篾制的圆形盖子，再用篾条锁紧，最后由两人抬去过秤。

打篓的女工有五个，大家都很卖力，捶打篾篓子的声音此起彼落，灰尘在空中飞扬。除惠才外，其余几个人都做了十多年，早已练就出一身力气，抬一篓药似乎不费什么劲。那竹杠被粗麻绳磨得泛白锃亮，忽悠忽悠的，很有节奏。惠才比不过她们。

老熊比惠才大十多岁，白皮肤，胖胖的圆脸，看上去不像是做粗功夫的人。尤其是那双包子手，伸直时，手背上四个肉窝真好看。她性格温和，做事从容，对惠才特别体谅。一起抬药时，老熊站在后面，她总悄悄把篓子放在竹杠上靠近自己的一头，再用手攀住，以免沉重的篓子滑向惠才。每次抬药，两人都要争执一番，惠才拖过去，老熊再拖过来，结果篓子还是挨着老熊那头。这样惠才就轻松多了，她心里十分感激。

老刘一双小眼睛，整天匆匆忙忙、咋咋呼呼，似乎只有她在卖力做事。她打篓是把能手，药打得紧、装得重。装药中途的片刻休息，她总不忘奚落惠才几句："你说你有文化，还读过中专，怎么也来做这样的苦力活？不会去找个轻松点的工作？"惠才开始还解释，后来干脆不吭气，懒得同她计较，得赶紧去看女儿。每次惠才都带着两个女儿来上工，干活时，大的就帮着照应小的。

和老刘抬药，个子不高的惠才仍是抬前面。但老刘从不像老熊那样用手攀住篓子，篓子会顺着倾斜的竹杠慢慢地滑到前面，让惠才格外吃重。老刘还经常连说带搡地一个劲催着惠才快快走，以显示自己力气大。等把药扛到另一个仓库时，篓子已经紧紧贴着惠才的脊背了。渐渐地，惠才眉间添了许多愁苦。

后来老熊注意到了这事。老刘再要和惠才抬药时，老熊便走过来说：“我和惠才抬。”只有老熊不惧老刘，因她干活一点也不比老刘差。

一次打篓间隙，老熊右手抱着惠才的二女儿，左手牵着大女儿，转眼就不见了。回来时，她端着满满一碗红烧肉，对惠才说：“今天有领导来，我去厨房时看见里面刚烧好一盆红烧肉，我找她们要了一碗，等下你带回去。”惠才的喉咙似有东西堵住了，泪水在眼眶里打转。

人世多艰，却也不乏温情。女儿们又是那么活泼可爱。惠才重拾起对生活的希望，她在心里给自己鼓劲：“没有克服不了的困难，我一定要好好培养孩子。”即使再累，夏天的夜晚，她也要带着两个女儿坐在坪里乘乘凉。夜风凉爽，星斗满天，萤火虫一闪一闪地飞过，满腹委屈的心也会渐渐开阔起来。

· 10 ·

一个傍晚，太阳刚刚落山，天边留下一抹淡黄。惠才正在门外收衣服，远远地看见吕背着一只水桶和一个帆布包，挑着两把椅子，穿着一件红背心，似乎从天边走来。

惠才立马跑过去，接过扁担，望着他手提肩扛的东西，问："你不用再去了？"

"不去了。"

“你瘦了，也黑了，这红背心是你自己买的？”

“挖土时热得不行，只能穿件背心。”

走进家里，吕对着惠才憨厚地一笑，眼神有些温柔。他小声地告诉惠才，有一次他咳嗽咳出了血，便用纸包着拿给刘队长看，说肺结核复发了，要回医院治疗。老刘二话没讲，要他回来好好治病。

惠才说：“你这么一个老实人也会撒谎？看来兔子逼急了会咬人，狗逼急了会跳墙。”

“实在吃不消了。天天开荒挖土，再不想办法，真会要了我的命。”

“明天去医院，你要装作病恹恹的样子，露了馅可就不好了。”

“晓得。”

“上次收到你的信，我抱了好大希望，满以

为你会写点甜言蜜语，谁知一开头就来了个‘陈惠才同志’，你就不能用亲昵一点的称呼吗？”惠才戏谑道。

“‘同志’是最亲密的称呼。”

惠才盯着吕的脸，说：“难怪呢，原来你一直把我当成革命同志，对我要求那么高，小偷偷了兔子，还要怪我没有起床捉贼。早知是这样，你就不该找我这个没有胆量的女子，应该找个女英雄。”

吕的脸涨红了也没憋出一句话来。

离家几个月后，吕大概是体会到了家的温暖，脾气变好了些，偶尔会做点家务，带带女儿。如此惠才已经很满足了。

尽管经济拮据，吕单身时养成的铺张习惯仍

不时地冒出来。

月底的一天，惠才要吕去领她装药的钱。中午，吕抱着个东西走进屋，有点心虚地对惠才说：“我花二十一块买了床全羊毛毯。”

惠才听了，焦急地说：“你怎么不和我商量？这么贵的东西我们用不起的，过日子得细水长流。二十一块不是个小数目，花了就接不到你下次发工资，不是又得厚着脸皮去财务上借？”

一日吕调休，惠才要他在家照看女儿，自己去药材公司做工。

中午惠才回家，见到屋里来了客人，是两对夫妻。四个人围坐在饭桌前，每个人面前的大菜碗里空空如也。

吕介绍说，他们是他下乡时结识的农民老表，这次来县城赶集，顺道来看望他，他已搞好午饭让他们吃了。

惠才热情地和客人打过招呼，问吕：“女儿吃了饭吗？”说着便往厨房走。

吕飞快地跟进厨房，小声对惠才说：“我用那一斤半肉票买了猪肉，还有过年留下的两只墨鱼，炖了一钢精锅，分四碗让他们吃了。乡下人平时没东西吃，这次就让他们吃个足。”

“女儿吃了吗？”

“没吃。”

“汤都没给她俩喝一口？”

“没有。”

惠才气得心都痛了，恨恨地说：“你不是人，你是个猪哟。”

客人走后，惠才对吕说：“你想过没有，一个月两斤肉票，我们才吃了半斤，剩下的你一下全花掉，这个月全家都见不到荤了。墨鱼还是过年留下来的，一直舍不得吃。你不吃，女儿要吃呀！她们那么小，应该有点营养。哪怕你给女儿喝口汤，尝尝味道，我也好受点。不是我小气，实在是心疼女儿呀！猪肉炖墨鱼用来当饭吃，你好阔呀！怪不得人人都喜欢你，你也喜欢别人。你唯独不喜欢我，我是你的仇人，因为我要管你。一家四口就那么多收入，不精打细算不行哪！你是两个孩子的父亲，要是还像单身时那样过日子，我们全家都要去讨米，你晓得不！”

吕即使知道自己错了，也从不认错，更不会劝慰人，唯一的办法就是赶紧走人。果然他又以飞快的速度出了门，留下惠才独自在那里抽泣。惠才不光是心疼猪肉和墨鱼，许多不痛快的往事也不讲道理地缠上心头。她再次感到，结婚是最没意思的事。

第二天一早起来，吕已经不见了。惠才有些担心，去菜地里转了一圈也不见人影，估计他是去单位了。

清晨七点多，吕急匆匆地回来了。他裤脚卷得老高，赤脚套着鞋子，抖抖索索，嘴唇乌紫，手里提了大半桶活蹦乱跳的鱼。

惠才见状心软下来，连忙给洗脚盆里倒上开水，又兑上点凉水，把盆端到他面前，说："快快洗脚，这么冷的天去捉鱼，不要命了？正月才过完，你可不要病倒了。"

吕泡了脚，穿好鞋袜。惠才又说："你坐到灶门口来烧火，把身子烤热乎。我来煮碗面条，放辣点，一辣人也会热乎起来。"

吕便跟着惠才走进灶屋，坐在灶前烧火。惠才问：“你在哪里捉的鱼，就不怕冻着了？”

知道惠才不生气了，他很快活地说：“窑棚旁的水沟里有好多鱼。太冷了，我只好选大的抓。”

“你一早出门就是打算去抓鱼？”

“昨天傍晚看到那里水浑浑的，我就知道有鱼。不赶紧去捉，别人就捉走了。”

望着吕那因捉到鱼而兴奋不已的脸，惠才有些于心不忍。墨鱼煮给人家吃掉了，就捉些鱼给家人吃——他是用这行动来弥补昨天的错误。

惠才温和地说：“以后有客人，无论如何都要留点东西给孩子们吃，知道不？”

“以后我不管了，你把东西收起来。”

“一个穷家有什么东西可收？讲得好听。”

晚上，惠才想着前前后后的事，明白了吕就是这么一个“好心人”。

有一年，从惠才老家来了三个男人，说是来江西搞副业。那时惠才独自住在乡下，她把吕叫来，介绍双方认识。吕把他们留下了，在堂屋给他们搭了地铺，又到单位借了两床被子，还替他们找到了活计——去山上砍树棍棍，用来做锄头把。

后来，这三人虽搬了出去，但春天雨水多，每逢下雨，他们就往惠才那儿跑。那年月粮食紧张，各人的粮食都是定量的，添了三个大男人，每个月米都不够吃。吕从不抱怨，还买过黑市米给他们吃。

吕认为，对别人一定要好，对自家人怠慢一些无所谓。

· 11 ·

惠才怀上了老三。怀孕七个多月时，她带着三岁多的二女儿上街，径直走到卖肉的摊子前，居然买到了半边猪头，足足五斤多，真是喜出望外。

身怀六甲的惠才，右手牵着孩子，左手提着用稻草穿着的猪头，欢欢喜喜地往家走。回去倒也无须操心，吕喜欢做拔毛之类的事，而且弄得仔细、搞得干净。半路上女儿喊累，不肯再走，惠才就让她骑在颈上，然后一手扶女儿，一手拎猪头，如此回了家。

傍晚六点多，一家四口正围着饭桌高兴地吃着卤猪耳，惠才突然开始肚子痛，来势凶猛。吃罢饭，吕陪着惠才速速去找妇科医师检查。

“文革”尚未结束，华医师还在养猪，妇产科由一个姓俞的护士长负责。俞护士长听了听，又摸了摸，对吕说：“要生了。”

吕激动起来，连连说：“不能生不能生，还没到预产期，赶快打安胎针。”

胎儿才七个多月，可能是白天用力过猛，动了胎气。惠才住进妇产科病房，打了安胎针，但疼痛有增无减。

吕急得像热锅上的蚂蚁，在病房里走来走去，对惠才说：“我出去打听一下，看有没有别的办法能安胎。”一会儿，他又走进病房说：“有人告诉我，紫苏蔸煮鸡蛋可以安胎。我这就去搞来给你吃。”

惠才说：“你顺路把毛毛要用的东西全部带

来，以防万一。我放在箱子里，用一块蓝色花布包着的。”

吕又飞快地出去了，不久便端回一海碗紫苏汤。三个荷包蛋沉在黑黑的紫苏水里，它们身负重任，吃下去或许毛毛就能在肚里多待一阵子。

吕认真地夹起鸡蛋，催着惠才吃掉，又逼着她喝紫苏水。才吃了几口，惠才就感到破水了。她推开碗说：“没用了，羊水都破了。快去叫俞护士长来，你在外面等着。”

这一次，俞护士长和惠才都没花什么力气，毛毛很顺利地生出来了。

一看是个男孩，俞护士长大声叫道：“吕医师快进来，是个男孩。”

吕走进来，高兴得手足无措，看了眼毛毛，

又很担心地说："好小啊，好带不？"声音竟无比温柔。

小家伙是被他姐姐压下来的，提早了一个多月出世。俞护士长说："早产儿要观察，惠才先不要回去，在病房住一晚。"

惠才催着吕回家去照看两个女儿，她自己只得留下来住一夜。

第二天早上，吕来住院部看望惠才。惠才要吕送她回家，她实在不放心两个女儿。吕便骑着车把惠才带回了家，又跑了一趟去接儿子。

得知惠才是被驮回去的，医师和护士都很吃惊，接连问吕："惠才好不好？有没有哪里不舒服？刚生孩子的人，全身骨头都松了，只能用担架抬，不能驮。"

惠才的奶水出奇地营养。出了月子，儿子长

得结实红润，和姐姐们如出一辙。

· 12 ·

有段日子，一批地区医专的学生来县医院实习，一个唐姓女学生被分派给吕带。吕当了师傅后格外忙碌，泡在医院的时间更多了。

一晚，四岁的二女儿发高烧，半岁的儿子扁桃体发炎，一吃奶就哭。到了十一点多，女儿高烧不退，儿子哭泣不止。惠才急得没法可想，决定去医院找吕，再一起去找医生。

有条小路通往门诊部，比走大路要快，但得经过医院的太平间。惠才把孩子们留在家里，自己抄近路去医院，远远地看见太平间门口吊着一盏孤灯，发着幽幽的光。心不由自主狂跳起来，她强令自己不往那盏灯的方向张望，一路飞奔到了门诊部。

值班室的门没关拢，留着两三寸宽的缝隙。透过门缝望去，只见吕和小唐面对面坐在火盆两旁，快活地聊着天。火盆里堆着许多木炭，火苗很旺，火星不断上蹿，两个人的脸都烤得红彤彤的。

惠才气得想进去骂吕一顿，但又骂不出口。她退到楼梯处，让自己平静下来，这才走到门边叫了一声吕的名字，然后推门进去，说："十一点多了，你还不回家？"

吕连忙起身，跟着惠才一起离开。走下楼梯，惠才再也忍不住了，说："孩子这么小，你忍心不管不顾，整天陪着你的学生吗？女儿发烧，儿子扁桃体发炎，急着要看医生，我一个人怎么办？快十二点了还不回家，孤男寡女的待到深更半夜，我要去告领导。”

吕不服气地说：“你告我什么？我做了什么坏事？她是我的学生，在这里人生地不熟，我不陪她谁陪她？”

“你的学生都二十四了，还要人整天陪着。我和你结婚时还不满二十岁，不论远近，你都不愿花时间陪陪我。别人都是人，都值得你关心，唯独我不是人，可以不理不睬！”说着惠才便痛哭起来，一边走，一边历数自己的委屈和吕的种种不是，“你现在是三个孩子的父亲了，不能那么随心所欲了！你该有点责任心，也该考虑考虑我的感受。其实你这人不该结婚，我跟着你，没沾得半点被疼惜的福分。我也是个有血有肉的女人哪，但凡你把关心别人的心思分一点点给我，我也满足了……”

吕沉默地听着，忽然张口道：“你说要告领导，你该不是往那事上面想了吧？看你的思想多肮脏。”

“任何时候我都不会往那事上想！我知道你不是花心人。但你整天围着个女生转，全不顾家，我气愤不过。”

回到家里，儿子正在哭。二女儿沉沉睡着，原本就红扑扑的脸因着发烧越发红艳了。吕走到床边，伸手去摸女儿的额头，又去试探鼻子，生怕女儿没气了。

惠才赶紧抱起儿子去看医生，吕在后面跟着。儿子打针吃药后，又吃了会儿奶，慢慢睡着了。惠才挨着儿子睡下了。二女儿睡在对面床上，吕一遍遍打湿毛巾贴在女儿头上，给她退烧。

天亮后，女儿不烧了，儿子也好了不少。

惠才想带着三个孩子回趟吕的老家，让公婆看看他们的孙女、孙子。她和吕商量，但吕要上班，脱不开身。

惠才有蛮劲，说反正她认得路，她带着孩子们去就好了。两天后，她带着三个孩子出了门，先坐车到县城，再转车到江口。下车后，惠才抱着二女儿，大女儿背着弟弟，母子四人一路走到了吕的姐姐家。

姐姐见到他们，开心得合不拢嘴。她牵着三个孩子的手，嘴里不停地讲着：“百百岁，百百岁。”

下午，姐姐陪着惠才去了吕的父母那里。见到孙女孙子，老两口眼睛都笑眯了，兴奋得手忙脚乱。

吕的父亲不知从哪里弄来一把矮矮的靠背椅，专给惠才喂奶用；还买了两个小方凳给姐妹俩坐，买了一个新脚盆给孩子们洗澡。后来，他又从外面借回一张小摇床，好让孙子白天睡觉。吕的母亲则一次又一次地爬到阁楼上，给孩子们拿好吃的。

吕父总是用慈祥、温和的眼神打量几个孩子。傍晚一有空，他就抱着孙子去外面走动，叫孙子看那里的牛、狗、鸡、鸭。惠才也牵着两个女儿跟在后面。

安安生生住了两天，第三天忽然起了狂风暴

雨，雨点就像核桃般直往屋上砸。三天三夜过去，村里已是白茫茫一片，好似汪洋大海。极目望去，水连着天，天连着水，无边无际。

雨再不停，水就要进屋了，村民个个战战兢兢。惠才小心翼翼地看顾几个孩子，不敢让他们离开半步。偏偏这时，小儿子发烧了。门外一片汪洋，根本没法出门看医生。惠才急得直掉眼泪，生怕孩子有个三长两短，但也只能一遍遍将湿毛巾敷在他头上。还好一天后，儿子退了烧。

暴雨总算停了，水也开始退去。一能出门，惠才就催促公公去买票。吕父回来后说，路上塌了方，不通车，正在抢修。惠才心急如焚，却无计可施。

硬是等到三天后才买上票，惠才和孩子们终于平平安安回了家。

·13·

当家属的几年中，惠才有过两次参加工作的机会。

一次，惠才抱着二女儿在门诊部门口的大路上玩，恰好碰到了县幼儿园的张园长。张园长向来很有派头，加上丈夫当官，轻易不搭理人。

看到惠才女儿那一刻，张园长却面露欣喜，亲切地说："这小孩真好看，又白又胖。"说着还用手不停地抚摸孩子的小手小脚。随后，她将目光移向惠才，说："看你样子，是个能歌善舞的人，到我们幼儿园当老师吧！"

惠才尴尬地说："我不会唱歌，跳舞也只能跳个集体舞。"

“你总有文化吧？”

“中专差两个多月毕业。”

“那好那好，来幼儿园当老师吧，只是有点大材小用。你回去商量一下。”

惠才征求吕的意见，他说：“那地方都是当官的和有钱人的小孩，难管理，不要去得罪人了。”

惠才没有争辩，她感觉吕的话有道理，就放弃了这份工作。

惠才住的平房，前后有三幢，住着不同单位的人。不过大家共用一口水井，每天早晨都能碰到很多人到井边打水。

时间一长，惠才认识了县中的李校长。李校长是武汉人，四十多岁，不管碰到谁都是一副微笑的神态，眼睛在镶着黑框的镜片后闪着温和的光。

一个清早，惠才去挑水，李校长也在。他和蔼地跟惠才打招呼："来挑水了？你好像每天早晨都会来挑水。"

惠才说："早晨挑满一缸水，用上一天，第二天早晨非挑不可，不然水缸就见底了。"

"我家也是这样。我听过你跟别人讲话，觉得你是块教书的料子，还听说你念过中专，去我们学校当个代课老师好不好？"李校长望着惠才说，"你能教哪些课？"

去中学当代课老师，干得好是能转正的。惠才好不兴奋，感觉脸在发烧，连忙答道："我能教初中语文和化学，这两门功课我最喜欢，也学得最好。我在江西读的是师范班，在学校实习过，老师学生都满意，自己也觉得能胜任。”

“太好了，我等你的消息。”

惠才细细盘算了一番。当务之急是请保姆，除了领工资，保姆还要在家里吃饭，那就得买黑市米。如此一来，她虽有工资拿，剩下的钱也为数不多了。

她也不知道保姆讲不讲卫生，又会不会尽心对孩子。有的保姆给小孩喂饭，先是把舀在调羹里的鸡蛋全部放进嘴里，试好凉热，再吐出来喂给小孩。吃鱼也要把鱼嚼碎，确保没刺了再吐出来。想到这些，她就不愿假手于人了。

惠才的心像钟摆一样来回摆动，拿不定主意。问吕，他只说：“随你。”犹豫再三，她又一次放弃了。她决定等儿子能自己吃饭了，再出去工作。

· 14 ·

等到两岁多的儿子自己能用调羹吃饭了，惠才下定决心走出家门去找工作。

事有凑巧，县医院的党委书记调到县劳动人事局当了局长，有权安排工作。“文革”初期，书记被揪出，但吕从没斗过他，和书记的爱人也相处得很好。也许人家会念这一点情分。

惠才和吕商量了几次，终于怀着忐忑的心，登门去找书记。书记夫妇很热情地邀请他们坐，俩人两手空空，不免有些尴尬。吕不善言辞，到了求人的时刻就更紧张，讲起话来结结巴巴，很难讲到点子上去。

这时，书记的爱人对书记说：“还没给惠才

安排工作吧？你真会拖。吕医师和我讲过多少次了，我又和你提过多少回，你赶紧给人家安排一下吧。惠才有文化，又能吃苦，做什么都可以。”

书记当面就答应了，说：“星期一来拿介绍信。”

不承想事情办得这么顺利，两人欢天喜地。回家路上，惠才对吕说：“你找过书记爱人的事，怎么不告诉我？搞得我还有些埋怨你，觉得你太不关心我。”

吕答：“还没办成的事，不能先讲，怕你空欢喜一场。”

到了星期一，惠才果真拿着介绍信到运输公司报到去了，工种是车辆调度员。

次日，惠才便四处打听保姆的事。听说县中一位老师的儿子要上幼儿园了，家里不用再请人，保姆正在找新的人家。

惠才立马去县中附近打听，走到球场边，恰好碰见一个六十来岁的婆婆牵着一个男孩在那里玩。上前一问，保姆居然就是这个婆婆。事情简直顺利得出奇。当时，惠才身上有一块钱，她拿给了婆婆。婆婆好高兴，说明天就上家里去。

第二天，一家人刚吃过早饭，婆婆就来了。

婆婆穿蓝色大襟褂子、黑布裤子，脚上是自己做的布鞋，右手拎着个布袋子，装着些换洗衣服。她将布袋放在给她准备的床上，就开始做事。

吃饭时，吕总是将好一点的菜或荤菜放在婆婆面前，有时买点零食，也要先分给婆婆——即使是半斤饼干，也会平均分配，绝不少她那一份。婆婆很快乐，说她从没碰到过这么好的人家，简直比自己的儿子媳妇还要好。

大女儿上学了，儿子快三岁了，不怎么要人抱，婆婆只消看着老二老三姐弟俩玩。于是，婆婆把所有家务都包揽下来。换下的衣服藏都藏不住，她总是快速洗净、晒干、叠好，然后整齐摆放在床上。家里到处都干干净净的，连锅盖都用谷壳加碱擦得黄里泛白，水缸也总是满满的。

婆婆在的日子里，吕无须帮忙做一丁点事，又过上了不被束缚的自由生活，和惠才也从没拌过嘴。婆婆成了家里举足轻重的人。

冬天，婆婆喜欢带三个孩子围着火盆烤火。傍晚时分，婆婆做好了饭，一边等着夫妻俩回家，一边给孩子们讲故事、猜谜语。

有一次，惠才在门口就听到婆婆在讲长发妹的故事，但她一进门，婆婆就不讲了，怕自己讲不好，被人笑话。

这天，惠才有意轻手轻脚地走近，想听婆婆在讲些什么。原来婆婆正叫孩子们猜谜语：“一物坐也坐，站也坐，走也坐，睡也坐。”几个孩子都猜不出。

又听婆婆说：“你们想到明天吧，再猜不出，我就告诉你们。我再出一个，你们接着猜，‘一物坐也卧，站也卧，走也卧，睡也卧。’‘卧’就是睡觉的意思，是我孙子说给我听的，要不我也不懂。”

晚饭时，惠才问婆婆她的孙子多大了。婆婆说：“我孙子十五岁，在学篾匠。他聪明，会读书，要不是我儿子儿媳淹死了，他还在读书呢。”

“能不能叫你孙子来我们这里玩几天？我带他上街逛逛，他可能没来过县城吧。”

婆婆一听，眼睛都笑眯了：“陈同志，你想得真周到！我好久就有这意思，只是不好开口，明天我就搭信叫他来。”

三天后，婆婆的孙子就来了。他是个十五六岁的青涩后生，清清秀秀，有些腼腆，但并不内向。一见面，他就把手里的布袋递给婆婆。

婆婆拿着袋子转向惠才，说：“我孙子饭量大，每餐能吃半斤米，这是他这几天的口粮。国家粮有定量，别人吃掉一碗，你们就吃不饱了。”

“婆婆你太见外了，吃几餐饭还要带米来，

没有这个道理。”

“你不收下这几斤米，就是不想要我孙子再来了。”

惠才只得说：“好好，我收下就是。以后啊，他想来就来……”

婆婆的孙子果真又来了几次。

· 15 ·

七十年代初，运输单位很吃香，要车的人走了一拨又来一拨，运木材的、运化肥的、搬家的……五花八门。有时调度室下班了，要车的人还会找到家里来。为了便于工作，领导给惠才在单位附近安排了一套房子，一家人很快就搬了过去。

儿子三岁多了，二女儿也上了学，用钱的地方越来越多，惠才不打算继续请婆婆了。可婆婆实在太好，惠才难以开口。婆婆也隐约知道了惠才的意思，几次对夫妻俩说：“陈同志、吕同志，趁我身体还好，你们再生一个吧，我再给你们带大一个小孩。”

惠才考虑再三，决定不生孩子了——光生不养，会害了孩子一辈子。可她又舍不得婆婆，便把婆婆介绍到一个同事家里，有空还能见见面，心里也好受些。

春天过去，天气越来越暖和了。县医院向省城医院要来了结扎的医师。妇女们奔走相告，都说若要结扎，这次是个好机会。

一日中午，吕下班回来，在饭桌上很有兴致地讲，省城医院的医师做结扎手术，快的只要五分钟，慢的也不过七分钟。

讲者无心，听者有意。吃过饭，惠才去厨房洗碗，满脑子都想着结扎的事："这是个多好的机会！三个孩子慢慢长大了，我可以专心工作，赚钱培养他们。"

洗好碗，惠才决心已定。她走出厨房，看见吕坐在房门口，正呆呆地望着自家养的四只鹅在草里觅食。她走到他面前，笑着说："我要去结扎，你没意见吧？"

吕不说话。惠才像个顽皮的小孩，边笑边走出门，嘴里说着："我真的去结扎，现在就去报名。"他仍不言不语。走到坪里，她笑着回头说：“我去报名，是当真的。”

当天报了名，第二天惠才就结扎了。别人结扎，都有家人跟着，她却是独自一人。她在临时病房里待了一个多小时，而后请一个认识的护士将吕找来。

吕来了后，始终一声不吭。

惠才说：“我已经结扎了，你生气也没用了。我一再征求你的意见，可你一直不言语，我只有自己做主了。我现在不能走远路，请你找个车把我拉回去，家里有三个小孩，我不放心。”

吕默默地走出病房，找好车子，把惠才拉回了家。

一到家，吕就对惠才说：“不知你逞什么积极，医院里还没一个人结扎，就只有你。要是再生一个，肯定是个男孩，老三也有个伴。”

惠才说:“昨天征求你的意见,你总不开口,我只能自己做主。细伢子只生不培养,会害了他们一辈子。你身体不好,好多事都不能帮我,我一个人真是力不从心。结扎的事,你不要放在心上,绝对没做错,好儿不在多。”

· 16 ·

收到惠才关于结扎的信,几天后母亲便从老家赶来了。母亲一来,惠才才像是个做了手术的人,终于可以躺在床上休息了。

一日,惠才请司机从外地买回两只母鸡(比本地的更便宜)。中午吕回来,惠才对他说:“等下请你把两只鸡杀了，让妈妈炖上，你们几个吃那只大的，我吃那只小的。”

吕问：“家里还有猪头肉，又杀什么鸡？”

听两人说到杀鸡的事，惠才的母亲连忙从厨房里出来，对吕说：“你只要杀一刀，拔毛什么的都由我来搞，我就是不会杀鸡。”

只见吕将衣袖朝上一捋，指着母亲大声道：“你不会做人，你不会做大人！前两天她已吃了一只鸡，你都没叫我吃一点，假心假意都没有，你就这么偏心！”

母亲也生气了，大声说：“你这个人真是莫名其妙，结扎的是你老婆，又不是你。动手术的人当然要补补身子，这鸡该归谁吃就归谁吃。假心假意做什么？我们是一家人，没必要假心假意呀！鸡是让你老婆吃了，又没给别人吃，结扎了吃两只鸡，莫非你还有意见？因为女儿在这里，我才会来，要不是为了女儿，你用轿子抬我都不来。”

亲眼看到吕和母亲吵架，惠才气得一句话都讲不出，只知道哭。

吕上班去了，母亲对惠才说：“儿啊，别怪妈妈心狠，不疼你。我明天就走，不能再住下去了，吵了这场架，待在这里实在尴尬。我在跟前，你们夫妻更难和好；我回去了，他若能向你认个错，也就算了。让人不是怕人，你好好照顾自己，别让我太操心了。”

惠才泣不成声，她留不住母亲，也不敢留，怕吕会再做出无理之事。

第二天一早，母亲就离开了。

惠才觉得自己孤立无援。她忘了周围的一

切，也忘了自己，只是死命地哭！就这样一连三天，她不吃不喝，以泪洗面。

吕始终没有走进惠才的屋里，更别提到床前安慰几句，说声“对不起”了。他每天都尽量躲着惠才，只是给孩子们做饭，和孩子们讲话。他就是这样一个人——又臭又硬。

第四天，惠才感觉肚皮隐隐作痛，低头一看，刀口那里鼓起一个包，大概是哭得太多了。

又过了两天，惠才收到了哥哥的信，母亲把事情经过全都告诉了哥哥。哥哥异常气愤，言辞激烈，在信末写道：“我看你还是带着孩子回来吧，哥哥和弟弟再苦也要养活你们。”看完信，惠才大哭了一场，打算带着孩子们回娘家。

她拖着疲惫的身体起了床，一边做饭吃饭，

一边整理东西。就在这当口儿，儿子忽然发起烧来。路上要转两次车，万一儿子有个好歹，怎么得了？惠才不敢贸然动身。

女儿们把妈妈要回外婆家的事告诉了吕，他这才慌了神。第二天刚吃完早饭，从前的邻居刘婆婆就来了，吕低眉顺眼地跟在后面。

刘婆婆抓住惠才的手，说：“惠才，你是个贤惠的好女子。听说你要回湖南，吕医师急得不得了，要我帮他在你面前求求情。你就看在我这个七老八十婆婆的分上，放他一马吧！你一走，这个家就散了。你不要回去呀，硬要给我这张老脸一个面子……”

完了她又指着吕说：“你是个猪呀，找到这样的老婆是你的福气，你可别身在福中不知福！惠才有哪点配你不上？她年轻漂亮又能干吃苦，这个家里里外外都是她顶着。就算你不同意她结扎，心里有气，也不该把气撒在她妈妈身上。”

惠才伤心得无以复加，一句话都讲不出来。而吕仍旧不发一言。

儿子的病时好时坏，一拖就是好几天。惠才离家的决心本来也不十分坚定，这下便顺水推舟地放弃了。

回娘家一事最终没能成行。惠才对自己说：“看来我注定要和吕磕磕绊绊过一辈子，认命吧！”

· 17 ·

随后的日子里，吕变得小心翼翼，就像个犯了错的小学生，也不敢正眼看惠才。惠才炒菜做饭时，他会主动帮着烧火，也会帮忙拣拣菜。

然而，惠才仍憋着一肚子委屈和愤怒，它们仿佛浓重的乌云般久久无法消散，又似有万重山压得她透不过气。彻骨的冰寒和猛烈的怒火交织在心头，她气愤，她恼火，一见到吕，她的眼泪就不由自主地流出来。

“我是你的仇人，你来世上就是为了惩罚我。也许是我前世害了你，今世你必须要报复。如今，连我妈妈你都不放过。十多年的夫妻，我始终没有搞懂你，不知你心里想些什么。三个小孩出生，你都没照顾过我，最后一次结扎，你又把我气成这样。你这个人太可怕了！你要是成心害我，干脆买包老鼠药把我毒死算了。”只要有机会，惠才就忍不住数落他，从夏天到秋天，绵绵不断。

一天，吕去值班，而后一连四天没回家。惠才变得更加沮丧，这下连个发泄对象都没有了。她也担心他就此不再回来，彻底离开这个家……一种更大的空虚和不安攫住了她。

这天中午，惠才决定去找文枝商量商量。见了面，惠才把事情从头到尾说了一遍。

文枝想了想，说：“吕医师是个老实人，但他不会说话。你吃鸡时，你妈妈没有喊他也吃点，哪怕是做做样子。他好面子，所以非常不满。加上他对你结扎有意见，又不好对你发脾气，就把气撒在你妈妈身上。他没想到，这样做对你的伤害更深。你天天数落他，他也不作声，说明他晓得自己错了。但你见面就说，他也受不了，只好躲着你。要是他从此再不回家，也不拿钱出来，你一个人带着三个孩子，可怎么办呢？到时受苦的还是孩子。我知道你不想这个家散了，今天你就让孩子们去接吕医师，给他个台阶下，否则他不好意思回家。以后你别再数落他了，放他一马吧。”

这一席话好比掰开肉抹盐，惠才听进去了。

女儿们放学回到家，惠才对老大说：“你带弟弟妹妹去医院接爸爸回来吧，你爸爸几天都没回家了。”

大女儿带着弟妹欢快地去了医院。傍晚，吕

一手牵一个娃，一行人开开心心地进了门。惠才飞快地瞟了吕一眼，他脸上笑嘻嘻的，手里还拿着床毛巾毯。她心想，这家伙啥时都忘不了享受，早早就买好了毛巾毯。

惠才张口调侃："我和你结筋时，要你走你的阳关道，我过我的独木桥，你还当真了，行动起来了。"说完又看了一眼吕，发现他正在偷笑。

性格不合的夫妻，平日只能是结了筋又和好，和好了又结筋，任谁也讲不出个子丑寅卯来。

幸亏孩子们在慢慢长大。

这年年底，运输公司造车库。泥工们赶着完工，好早点回家过年。小工不够，领导便动员职工家属帮忙挑砖。从起点到终点有两三百米，挑一块红砖算两分钱。

惠才的大女儿放学后，便带着妹妹和弟弟去搬砖。大女儿一趟挑六块，二女儿挑四块，儿子还小，只能抱着两块砖屁颠屁颠跟在姐姐后面。

吕给两个女儿做了两副挑砖用的竹夹子，精巧又轻便，比别的小孩用畚箕挑要轻几斤。

那些日子惠才下班后，总会看到三姐弟在路上来回奔跑的小小身影。老三卸下砖来时，胸前的衣服上往往沾满了灰泥，好似一块地图。惠才笑望着孩子们，有种流泪的冲动。

· 18 ·

快过年了，惠才正在井边洗衣服，忽然听到有人叫“姐姐”。她转身一看，居然是弟弟来了。他手里提着一只鲜活的大阉鸡，手一动，鸡就发出咯咯的叫声。弟弟来过年是件喜事，惠才高兴极了，她好几年没见过弟弟了。

星期日，惠才上街买了一斤猪肉。肉买回来，吕叫惠才一起去种马铃薯。惠才说：“才十几个马铃薯，用不着我去。土挖好，窝子打好，肥料放好，把马铃薯放进窝子里，盖上土就可以了。”

惠才的弟弟也说：“姐姐，你不用去，我和姐夫去就是。”吕就是不肯，非要惠才去不可。

惠才虽觉奇怪，但也随他去了。十几个马铃薯，三个人一下就种好了。

回到家里，惠才洗好了一大堆衣服，接着去厨房做饭。正翻炒着肉片，吕进来了，他拿过她手里的锅铲，便去炒肉。惠才心里温暖了一下，想着到底是弟弟来了，他还知道帮忙做饭。

吕拿着锅铲大力翻炒，一下、两下、三下，声音越来越响。惠才觉得不太对劲，但还没反应过来，就听到砰的一声！她吓了一大跳，伸头一看，吕用锅铲把锅打烂了！铁锅穿了一个碗口大的洞，一斤肉全部掉进灶里，顷刻就燃烧起来。空气中先是弥漫着一股好闻的肉香，后来又变成焦煳味。

吕知道自己闯了祸，马上溜走了。惠才气得想哭，可又不能哭，喉咙里就像堵了沙子般发痛。她不能让弟弟知道这事，弟弟才来，好歹让他过了年再走。于是，她用一口缺了边的旧锅炒好菜，叫大家吃饭。

吕从菜地里摘了白菜回来，一副若无其事的样子。惠才强忍着眼泪，说："锅子坏了，肉掉进灶里烧掉了，明天再去买吧。"

听了这话，弟弟赶紧安慰道："斤把肉，烧掉算了，吃块肉也不会长块肉。"看着惠才躲闪的目光，他又说："姐姐不要伤心了，明天我去买锅子和肉。"

吃完饭，惠才的弟弟带着三姐弟去外面玩。惠才怎么也忍不住了，便躲进被子里大哭起来，眼泪顺着脸颊淌下，将枕头濡湿了一大片。

弟弟此时恰好进了屋。听到哭泣声，他立马

走至床边，说：“姐姐，你为什么这么伤心？不就是烧掉一斤肉、烂了一口锅吗？不值当把自己气成这样啊！”

“我头痛得厉害。”

“好像不是头痛，是姐夫有意打烂了锅子吧。是我来坏了，真是欺人太甚！”

看到吕也走进屋来，弟弟便起身关拢了门，说：“姐夫你坐。”

吕坐在那里，脸色很不好看。

弟弟张口说：“大概是我来坏了，你有意见，就把锅子打烂了。我来看看我姐姐，住几天就会走的，何必生那么大的气？你这样欺侮我姐姐，要是她哪天被你气死了，我绝不会放过你！我会从湖南赶过来，活活把你掐死，要你抵命！

“我姐姐哪里不好，你要这样对待她？她要

上班，要管三个小孩，还要锄园、种菜、砍柴、洗衣、做饭……全家人的衣服鞋袜，也是她在打理。要你帮一下，你都不肯。

“一家人有事就该互相帮忙。夫妻一场，互相体贴是最起码的。那天，我看到姐姐要你帮忙拧床被子，求了你好久，你都不肯。”

吕说：“她被子洗得太勤。”

弟弟说：“这好办。一个月内，如果你认为只要洗一次被子，而姐姐洗了三次，那你就帮她拧一次，其余两次都不要管，这样总可以了吧！

“还有件事我也想不通。昨天来了客人，姐姐知道是你下乡时认识的老表，热情地留他们吃饭，给你挣面子。你好不容易盛一次饭，每个人都盛了，偏偏没替姐姐盛。你是不是也该照顾一下她的面子？姐姐一日三餐都替你盛好饭，你就不能做一次顺手人情？不知你平时有多不关心我姐姐！我过了年就回去，不会在这里待上好久，你只管放心。请你不要把气撒在我姐姐身上。”

吕没反驳。

大年初一中午，惠才带上三个孩子，一起踏着残留的雪，顶着冷冷的风，去看电影《黑三角》。

初一来看电影的人还真不多，空荡的影院里寒气逼人。多亏惠才想得周到，她怕冻着孩子们，带了一个小火炉，于是母子四人舒舒服服地看了一场电影。

出了电影院，惠才领着姐弟仨往家走，很远就望见弟弟站在那里等他们。吕该不是把弟弟赶出来了吧？她心里一惊。

弟弟看见惠才，立马迎了上来，小声说：“姐夫熏腊肉时，坐在灶前睡着了，结果着了火。隔壁邻居见我们厨房冒烟，进去一看，发现腊肉烧得噼噼啪啪，灶台旁边的板墙也烧了起来。幸亏火不大，几下就扑灭了。我和姐夫把板墙钉好了。腊肉没烧完，姐夫把烧焦的部分刮掉了。大过年的，你不要怪他，更不要讲他什么。”

弟弟住到大年初五就回去了。

· 17 ·

惠才不想跟吕和好了。平日她尽量不看他、不理他，万不得已要讲话，也是一百句减成一句。同在一个屋檐下，两人要做到形同陌路，不是一般地难。但为了不再受到伤害，惠才只能坚持少讲话。

吕知道惠才有气，但他既不会认错，也不会主动找话讲。

这日子味同嚼蜡，最大的好处就是安静，安静中掺和着痛苦，让人欲哭无泪。

一晃几个月过去，孩子们就要期末考试了。考试前，连降了三天三夜大雨。小核桃大小的雨点，密集而有分量地砸下来，天与地都笼罩在雨幕中。

第四天正赶上期末考试，雨仍没有停歇的意思。然而辛苦了一个学期，不管下多大的雨，孩子们都不愿错过考试的机会。惠才给每个孩子的书包里都放了条干裤子。姐弟仨将书包挂在胸前，穿着雨衣打着伞，匆匆赶往学校。

临近中午，开始涨水了。惠才站在家门口的台阶上，心急如焚又一筹莫展。思前想后，她决意冒险去学校把孩子们接回来，也顾不得自己是个旱鸭子了。正要出发，忽然眼前一亮，是吕牵着孩子们回来了。

原来吕看见雨势越来越猛，便从单位径直去了学校，把姐弟几个接了回来。惠才那颗悬着的心终于放进肚里。要是没有他，今天真不知该如何是好，惠才飞快地瞥了吕一眼，心中升起一股温暖。

进屋没多久，洪水就排山倒海地涌了过来，猛烈地冲撞着窗户和门板。水一个劲地朝屋里灌，似乎要把整排房子冲垮。此时惠才一家成了个牢不可破的整体，大家齐心协力地将被子衣服搬到吊楼上，又将低处的东西往高处搬。

顷刻之间，屋里的床铺、桌子、椅子……凡是能动的东西，都像没停稳的船只似的，在有限的空间里漂来荡去，狼藉又壮观。

水渐渐齐胸了，吕大喊一声："走！再不走就出不去了，外面的水更深。"

吕的水性很好，他驮着老三，牵着老二。老大拽着吕的衣角，惠才又牵着老大，把一袋衣服顶在了头上。一家人相互牵着出了屋子，半漂半走地往食堂所在的高坡上去。

坡上聚集了很多人，大家仿佛热锅上的蚂蚁，惊恐万状。站在上面朝低处看，平地成了一片汪洋。不知从哪里冲来的长长短短的木头，随着水势上下翻腾；大大小小的西瓜，在水上慌里慌张地翻滚；大猪小猪趴在水里，载沉载浮；鸡鸭鹅扑腾着翅膀，惊叫个不停，一会儿就不见了踪影。

出门时未及带上吃食，到了两点多，孩子们纷纷喊饿。吕拿出几块生豆干分给孩子们，也递给惠才一块，一家人就靠这点豆干抵挡了一阵饥饿。

下午五点，雨势渐渐收敛，雨点越来越小。最后，雨终于停了，天空豁然开朗，洪水遑遑退去。人们陆续下山，各自回家。惠才一家五口也随着人流往家里走去。

走到下坡处，惠才看到远处有个圆圆的墨绿色火盆在水里悠闲地荡着，便对孩子们说：“这火盆真好看，涂上去的釉还闪闪发光，赶上我们家的火盆好看了。”到家清理东西，发现火盆没了，原来那火盆正是自家的。大女儿赶紧奔出去把火盆拾了回来，又好奇又欣喜地说：“火盆漂那么远，居然也没碰坏一点点。”

屋里积了一尺多深的水，姐弟仨用脸盆、桶子将水舀起来往外面倒。惠才忙着将灶里的水弄出来。米桶幸亏放得高，没有打湿，很快就有饭吃了。可惜几只母鸡不知被冲到哪里去了。晚上一家人睡在屋里，感觉到处都湿乎乎的。

第二天是个大晴天，明晃晃的太阳照得人睁不开眼睛，空气热辣辣的。大家好像在抢太阳，凡是有水的地方，就有人蹲在那里洗东西。桌子、椅子、茶几……凡是漂在水里的东西，都糊了一层薄薄的泥巴，必须搬出去洗净晒干。尤其是那些没来得及收拾的鞋子，里面装着沉甸甸的烂泥巴，十分难洗。

遭水灾后这些日子，吕也帮着清洗东西，出了不少力。惠才感到些许温暖，不想跟吕和好的想法，似乎随着大水冲走了。日子又回到原先的轨道。

· 20 ·

遭洪水冲刷后的家什特别脏，木板凳、木柜子、木床的缝隙里全是泥巴，得用锥子一点点抠出来。只要一有空，惠才和吕就忙着善后。

一日，吕的老家来了客人：一个男人和他三个女儿。这男人和吕一起长大，吕当年被亲生父母推出门时，男人家收留过他一阵子。吕热情万分，鸡鸭鱼肉的买来招待他们，又给每个姑娘扯了一块花布，让她们带回家去做衣服。

第二日清晨，惠才去地里摘菜，可翻箱倒柜也找不到下地要穿的半筒雨鞋，就连吕的雨鞋也不见了。看她急得想哭，吕这才说，他把两双雨鞋都送给家乡的客人了。

惠才真哭了，说："你看我这样一通找，也不早些告诉我，一点不知心疼人。你怎么连天天要穿的雨鞋也给了人？这雨鞋少不得，今天就得去买。"她边说边去拿钱，打开抽屉，里面只剩了五块钱。

她立马去厨房找吕，问："钱你也拿给他们了？"

吕低着头，说："拿了。不要紧，很快又会

发工资。”

“离发工资还有半个月呢！这五块钱够用半个月？他们又没给你带什么礼来，没必要这样倾囊而出。”

“那你弟弟从湖南来这里过年，就空手提了只鸡，又算得什么礼？”

惠才听了恍然大悟，难怪那天吕把锅子打烂了，原来真是对弟弟有气，是冲着弟弟去的。说来也奇怪，弟弟大老远跑一趟，怎么就提了只鸡？妈妈那么爱体面，怎么也该搞个东西把鸡装好，坐车也方便些……

没等她想清楚，吕又说：“你把我父母给的两只白鸡卖了，不也是为了寄钱回家？”

“你说什么？我把白鸡卖了？”惠才简直不敢相信自己的耳朵。

那是多少年前的事了呀。当时两人结婚不久，惠才独自去吕的家乡看望公婆，公公送给她一对漂亮的白鸡。结果她因大意忘了锁门，鸡被人偷掉了。之后，吕好久都没搭理她。那段日子至今想起来还郁闷至极，她一直想不通他为何要那般对待她……

多年来的悬案，不承想今朝有了解答。原来吕压根不相信鸡是被偷走的，还以为是惠才偷偷卖掉了鸡，把钱贴补了娘家。真是天大的冤枉！"难怪你两个多月都不理我，原来是怀疑我把鸡卖了。我家里是穷，但我要是卖鸡肯定会如实告诉你，绝不会偷偷摸摸卖了，再撒个谎骗你！"惠才悲愤不已。

下次回家探亲，惠才第一时间便向母亲求

证:“妈妈，上次弟弟去我那里过年，空手提了只大活鸡，怎么没给他搞个袋子装好？”

母亲听罢，愣了一下，然后把筷子搁在饭碗上，望着惠才说:“肯定是这家伙把东西搞丢了，等下问他就清楚了。那次过年，你哥哥学校分了十三斤半猪肉，半斤是凑秤的肥肉，家里留下了。十三斤猪肉分成四块，腌了盐，晒了几次。去江西的头天晚上，你哥哥用牛皮纸包好四块咸肉，放进帆布包里。我还做了四个大糍粑，有小脸盆那么大，也是用牛皮纸包好，放在包里。你哥哥提着包试了试，说是蛮沉的。你弟弟出门时，你哥哥提着行李送了他一段，还再三叮嘱他别把东西弄丢了。”

晚上弟弟回到家，这才真相大白。年前的火车站人山人海，弟弟根本买不到票，就滞留在车站里，在候车室的长凳上睡了整整四晚。他用旅行包做枕头，把脑袋紧紧贴在上面。可人一疲累就睡得死，他丝毫不知道包是啥时被偷走的。

弟弟说：“我总不能空着手去姐姐家，还好在路上买到一只鸡。”

哥哥说：“大冬天的，你在候车室里睡了四个晚上，没冻出病来还算好。你应该把事情告诉姐姐，她顶多难过一阵子，但会了解实情。光提只鸡去姐姐家过年，未免太寒酸，你姐夫还会怪我们小气……”

弟弟却不以为意，调侃说：“天将降大任于斯人也，必先苦其心志，劳其筋骨，饿其体肤……”

弟弟初中毕业时，以令人咋舌的高分考了全市第一。那时上高中，需要当地出具“政审合格”的证明，而当时的乡镇党委书记偏偏为弟弟出了份“父亲是旧官吏”的证明。结果，弟弟由于家庭成分而没上成高中。后来，他整整修了十年地球，直到恢复高考，才以扎实的基础考取了师范学院。

· 第三部 ·

· 1 ·

惠才的孩子们倒是遇上了好时代。

一九七七年，高考恢复，人们奔走相告，谁都知道上大学就意味着一个好前程。那一年，大女儿十四岁。惠才原本忧虑不已，以为过两年就得送女儿上山下乡。如今只要发奋读书就能上大学，家庭成分不再如拦路大虎般挡住去路，这是何等福音。

听说县城的新华书店到了一批数理化自学丛书，吕早上五点就赶去排队，终于买到了一套共二十本的丛书。每到杂志征订季节，吕就从单位拿回征订目录，随孩子们勾选，想订什么就订什么。

孩子们都很懂事，学习上从不让大人操心。学校也很重视教育，经常组织家长开会。一日，二女儿的班主任来到家里，要请惠才去介绍经验。惠才先是推辞，说自己没什么经验可讲，后来拗不过老师，只好应承下来。临走时，老师叮嘱惠才好好准备。惠才想了想，也不知道要怎么准备。

第二天下午，惠才走进学校礼堂时，才发现眼前黑压压一片，居然来了上百人。先是学校领导和老师上台讲话，随后轮到家长发言。

巧得很，前来介绍经验的几位家长都是孩子的妈妈，她们每人手里都拿着三四张稿子，上台后就照着念。

惠才上台时，手里却没有片纸只字。她对大家笑了笑，说："敬爱的领导和老师，亲爱的姐妹兄弟们，我没什么经验好介绍，今天就是来和大家聊聊天的。"这出人意料的开场白收获了一片掌声。

接着，惠才不慌不忙地聊起来。她说在孩子面前，自己既是母亲，也是朋友。她从不骂孩子，更不会打孩子，多数时候都是夸赞他们，让他们对自身有充分的信心。平时，她很注意以身作则。比如单位的会议室里有彩电，但她没去看过一次，如果她总去看电视，那就不好要求小孩不看了。就这样，她将日常生活中教育孩子的点点滴滴娓娓道来，台下的家长一个个听得十分专注。

散会后，惠才随着人群走出礼堂大门。这时，有人跑过来对她说，她的发言很精彩，又亲切又有感染力。惠才听了好不开心。

惠才家离县中很近，走小路的话只有五六百米。小路两边长着密密层层的小草，一到雨天就湿漉漉的，天晴了，草尖上又全是晶莹剔透的露珠。孩子们一早去上学，总会被小草打湿裤管和鞋子。

姐弟仨都没说过什么，吕居然察觉了。他花了一个中午，顶着烈日，把那段路上的小草铲得干干净净。后来，二女儿上大学时，写了一篇名为《父亲的天空》的散文，发表在《少年文艺》上。从来只看医学书的吕，拿着那本《少年文艺》看了一遍又一遍，那是他这辈子看过的唯一一篇文艺作品。

为了给几个孩子改善生活，惠才买回两只小兔来养。兔子一公一母，斑驳的毛色、红红的眼睛，着实可爱。吕也喜欢极了，他照料动物特别细心，养什么都比别人养得好。

兔子长得快，也生得快，第一窝就下了六个崽崽。家里种的菜远远不够吃，只得去打草。一日，天上下着毛毛细雨，惠才去县中后面的山窝里打草。她埋头割草，割得差不多了，便直起腰准备回去。一返身，只见二女儿站在身后，正在细雨里无声无息地哭着。

惠才吓了一大跳，说：“你怎么来了，不用上课？”

二女儿说："我知道你平时会到这里打兔草，就趁课间操跑来看看。妈妈好可怜！"

"可怜什么？快去上课，我也回去了。"

次日下午，放学好久了，二女儿迟迟没回家。正着急时，女儿回来了，提着满满一篮子草，她没带镰刀，是用手指掐的。看着那双被草汁浸得绿生生的手，惠才心疼极了。

· 2 ·

惠才的大女儿十七岁那年考上了外地的工学院，二女儿和小儿子学习也都不错，看样子三个孩子都能上大学。

吕像换了个人似的，晚上除了去单位值班，其余时间都待在家里。夫妻俩努力地生活着，养兔子、养火鸡、养羊，种的菜自家吃不完，就一篮一篮地送人。

有一年，养了一只黑色的母羊。吕清早起来便牵着羊去河堤上吃草，他会选草最好最多的地方，母羊在那里流连忘返，一身皮毛渐渐长得油光闪亮。到了上班时间，吕便用根长绳把羊拴在树荫下。每次去牵羊，他远远地就有意咳一声，母羊也长长地咩一声，以作应答。

不知从哪天起，母羊的肚子大了起来。吕说，有一次河堤上拴了只公羊，可能就是那次怀上了小羊。吕越发爱惜母羊，傍晚牵着羊吃草的时间更长了。

一日，惠才在做午饭，忽然听见母羊在后院

嘶叫，那痛苦的声音听得人心惊胆战。她赶忙跑过去，只见母羊已用蹄子将泥地刨出一个大坑，此刻正卧在坑里挣扎——羊宝宝生不出来，羊妈妈疼得惨叫不止。

惠才飞快地骑着车去找吕。吕连白大褂都没来得及脱，就跟着她赶回去救羊。吕就近拖了一捆稻草铺在母羊身边，然后蹲下去，将手轻轻伸进母羊的产道，随即小心地托出一个羊宝宝。惠才连忙接住小羊，放在稻草上。吕就像个专业的妇产科医师，又轻轻巧巧地托出了第二只羊宝宝。母羊放松下来，但肚子还是鼓鼓的，吕再次伸进手去，居然托出了第三只羊宝宝。末了，胎盘也顺利地排了出来。

三只浑身湿漉漉的小羊躺在稻草上。母羊温柔地看向自己的孩子，缓缓从坑里上来，蹒跚着靠近小羊，轮流舔舐着它们柔软的身体。待身体慢慢干了，小羊一个个歪歪扭扭地想站起来。吕从菜土里弄来些白菜放在母羊身边，母羊贪婪地吃着，显然它已又饿又累了。

最后出来的那只羊宝宝个头最小，吃奶时老挤不过两只大的。吕就每天挤出时间，特意抱着小羊让它吃奶。不久，三个羊崽崽便长得一般大了。

一九八四年，惠才的二女儿即将参加高考。一日，女儿的班主任张老师去医院看病。县城小，大家都是熟人，一个医师便问："张老师，你带的是尖子班，听说个个厉害，只怕全班都能考取大学？"

张老师说："别人我不能保证，你们吕医师

的女儿一定能考取。”

同事把这话告诉了吕。那日，吕回家时笑容满面——他不是个喜形于色的人，平日连笑容也少见。惠才忙问是怎么回事，他便转述了张老师的话。

晚上，两个人开始商量怎样筹备老二上大学的费用。穷家富路，在外花销总是难免。大学虽不收学费，但孩子要吃饭、住宿，还要添置被子和衣服，方方面面都得花钱。

惠才说：“我们种那么多菜，又不能挑到街上去卖，变不了钱。要不去买两只小猪来养？养大了就可以卖钱。”

吕立马说好。猪圈可以建在后门的台阶下面，台阶要比后院的菜园高出一米半，下面正好够搭一个矮矮的棚子。两人就这样商讨着，没有争执，没有分歧，惠才感觉这样的谈话真是难得地美妙。

近水楼台先得月。运输公司换下来的旧车厢板到处都是，刚好能用来搭猪棚。只是每块板子都是用铁条拴好、再用螺丝铆紧的，沉重无比，惠才和吕将它们一块一块地抬回了家。

吕用木板钉出一个棚子框架，顶部搁上薄薄的木条，再买来牛毛毡盖在上面，一间像模像样的小屋就建成了。地上铺了水泥，打扫干净后，地面就像剃头师傅用过的布，光滑无比。还留了一个小窗户，棚子里亮亮堂堂的。吕又寻来一节竹蔸，一剖两半，把中间的节隔打掉，两头固定好，就成了小猪吃潲的食槽。至于猪粪，到时就铲到自家和别家的菜土里做肥料。至此，一切预备完毕，只差小猪崽入住了。

一大早，惠才和吕挑着一担原本用来买米的箩筐，兴致勃勃地去农贸市场买小猪崽。天气虽冷，怀里却像揣进个腾腾燃烧的火炉子，打心底往外冒热气。

卖猪的农民还真多，买猪的人也不少。吕快步走过去，蹲在那里把每只猪都瞧了一遍，最后挑了两只小公猪。过秤前，他犹豫起来，一个劲地问惠才要不要得。惠才说："你仔细选的，一定要得。这些小猪看样子都蛮好。"两只小猪崽一共花了十五块钱。

每日上班前和下班后，吕都要去看看小猪崽，看完了心情总是很好。粪便被他扫得干干净净，角落里给猪睡的稻草也经常换新的。小猪在精心喂养下长得很快，似乎过一夜就会长大不少。

一日晚上，惠才同吕去看猪。从猪圈上的小窗望进去，两只贪睡的懒猪情意绵绵地一起躺着，沐浴着皎洁的月光，鼻翼翕动，呼呼作响。这鼾声委实动听，两人都快听醉了，像喝了酒那样晕晕乎乎的。

吕说："这猪有七十来斤了，再养上三四个月，就有一百多斤了。到时把它们卖掉，再去买两只猪崽来养，小孩上大学的钱就不用发愁了。"

· 3 ·

可惜仅仅过了一个晚上，计划就完全改变了。

自从养了猪，两人都更忙了，吕要比平时多做些事，菜也要多种些。由于没得到充分的休息，他的肺结核复发了，每天下午都发低烧，常常咳嗽，不得不马上住院。经过治疗，肺结核倒是好得蛮快，但他从此再不能劳累，除了上班便是休息。

没过多久，吕的视力又急剧下降。一个月后，即使跟人面对面站着，他也看不清对方的五官，眼前只是模糊一片。这真如晴天霹雳。吕向来对工作乐此不疲，如今上不了班，他便如遭了雷击般喜怒无常：有时呆坐在那里一语不发，面容憔悴；有时暴躁异常，又哭又跳，还往墙上乱撞。

惠才在旁看得心惊肉跳，只得百般安慰他："你的眼睛一定能治好，我的预感很准的。万一治不好也不用怕，还有我呢，我来做你的拐杖，出门就牵着你。老二老三也都能上大学，这个家不会散，你放心。"

猪是养不下去了，只得卖掉。

县城里最好的眼科医师也查不出吕的眼睛究竟出了什么问题，建议他去上海检查。

惠才立刻陪着吕去了上海。原来吕患了球后视神经炎，病因是治疗肺结核时用药过量。在上海住了十天院，他的视力恢复了许多。不过上海无法久居，吕打算按照这边的治疗方案，转去离

A 县较近的长沙某医院继续治疗。

出院那天，正碰上 A 县医院派人来上海购买医疗设备，吕就和那位同事一起前往，惠才也陪在一旁。吕拿着一个显微镜左看右看，爱不释手。那同事见状，不无挖苦地说："你还想看显微镜？等下辈子吧。"

惠才听了虽未出声，心里却气愤极了——她憎恶别人这么打击她的丈夫。

一日，惠才请了假，去长沙看望吕。寻到病房，她进去一看，只有吕一个人在。他睡着了，右眼上敷了块纱布，透过纱布边缘，隐约看到眼眶下有片青紫。几日不见，他整个人都变了样。

惠才心疼不已，连忙捂着嘴跑出病房，躲在偏僻处大哭了一场。之后，她走进病房叫醒了吕，眼泪禁不住又夺眶而出。

吕惊喜万分，一骨碌坐了起来，问：“你怎么来了？”

“我请假来看看你，明天一早随车回去。你眼睛是怎么搞的，青了那么大一块！痛不痛？看起来好可怜。”

“每天都要从眼睑下打针。前天，一个实习医师不会打针，死死压住我的眼睛，弄得好痛，结果打了半天也没打成。”

“你不能要求换个医师打？”

“实习医师都有个学习过程，不能要求太高。现在主治医师要我吃中药，说是中西医结合疗效更好。可这里没有煎中药的地方，不知怎么办才好。”

惠才想了想，说：“天无绝人之路，正好我

们汽车队每天早上都有车到长沙。你把处方给我，我去药店捡药，熬好了灌在盐水瓶子里，再托给司机师傅。你每天去停车的地方拿药，可以吗？”

“当然可以，这里离停车的地方很近，就两站路。我每天会准时去拿药的。”

此刻，吕变得那么温顺，曾经的坏脾气荡然无存。惠才暗自高兴，猜想这次短暂分别也许是件好事，他今后的脾气可能会变好些。

两人家长里短地聊了一阵儿，天色渐渐暗下来。惠才站起来说：“我不能坐了，要回公司办事处去，这里的路我不熟，太晚了怕找不到地方。明天一早我就跟车回去了。你在这里安心住着，让你出院你再出院，不要半途而废。”

“我要跟你回去。”吕像个小孩似的执拗

地说。

“回是不能回去的，你的视力已经好转很多，一定要等完全治好了再回去。要不我们一起到外面吃点东西吧。”

路灯照得沥青路面闪闪发亮，皎洁的半弦月挂在影影绰绰的树梢上。惠才和吕很有默契地走进一家小饭馆。饭馆里干净整洁，两人选了个窗边的位子坐定，要了两碗牛肉面，味道鲜美可口。

吃罢，两人从饭馆里走出来。惠才说：“明天到家我就去药店捡药，后天你就可以拿到药了，一定要记住时间啊。你也回去吧，安心住院。”

可是吕执意要送惠才。天全黑了，昏黄的路灯照着人行道上的婆娑树影。惠才抬头看看丈夫，那模样让她心里凉飕飕的，有种说不出的苦涩。

吕感叹了一声："眼睛能看东西真好。"

第二天早上，惠才刚上车，就看到吕出现在车外。他仍蒙着一只眼睛，眼睑那里一片青紫。她的心疼了一下，连忙跳下车，走到他面前问："你怎么来了？"

"我要跟你回去。"吕没蒙纱布的那只眼里浮现出泪光。

"昨天不是讲好了吗？你的视力有了好转，现在绝不能放弃。你再坚持几天，等完全好了就可以出院，到时又能回去上班了。车要开了，我得走了，出院那天我来接你……"

望着吕离去的孤单背影，眼泪蒙住了惠才的眼睛。

二十六天后，吕出了院，从长沙回到家中。在县医院继续治疗了一段时间后，他重回工作岗位，依然能看显微镜。后来，他的眼睛没再出过问题，又工作了二十多年才退休。

· 4 ·

孩子们陆续考上大学，一个个离开了家。那些年，生活里最重要的两件事都和邮局有关。

每月十五号是发工资的日子，惠才会在家里填好汇款单，吕则乐颠颠地跑去邮局汇款。其时，大女儿已经参加工作，无须家里寄钱了。钱分别汇往二女儿和小儿子所在的学校，一个在南京，一个在北京。

去邮局汇款那天是吕最高兴的日子。邻居张护士若碰到他，总会问上一句：“吕医师又去寄钱？”他当场便乐开了花，连声说：“去寄钱，去寄钱。”

一日寄钱回来，吕欢快地告诉惠才，说邮局的人问他家里怎么这么有钱，一直往外寄。惠才问他怎么答的，吕说他没吭声。

收信和发信也自然而然成了惠才生活的一部分。一个敞开的木制信箱钉在公司财务办公室门口，邮递员会把信插在木箱里。路过的人都会拿出信来看一眼，谁有信便大声叫谁。

一日，有同事大叫惠才的名字，说她有三封信，还调侃说这个信箱是专为她钉的。惠才拿着三封信，上面分别是三个孩子熟悉的笔迹，一种幸福感油然而生。老大说她的男朋友考取了研究生。老二告诉惠才，自己由化学系转到中文系去了。这是封先斩后奏的信，但惠才并不生气。拆开儿子的信，里面有五十块钱。儿子说他得了奖学金，寄五十块钱给家里。

这些温暖人心的信，恐怕就是惠才这辈子最大的收获了。她一遍遍读着信，喜悦从心底生出，久久不能平静。

·尾声·

还有三个来月，吕就要满八十八岁了。最近，他常常坐在自己的专属躺椅上，孜孜不倦地读着《增广贤文》，时不时还会念出声来："昔时贤文，诲汝谆谆，集韵增广，多见多闻。观今宜鉴古，无古不成今。"

看到他那认真的样子，惠才真心觉得可爱。她的宝气上来了，走过去环住他的脖子，看着他的脸，笑嘻嘻地问："再过几个月，你八十八了，我八十一了，总有一天我们会分道扬镳，再不相聚。假如真的有下辈子，我是说假如，你还愿意和我在一起吗？”

吕摇了摇头。

“不愿意？你再想想，我一辈子对你那么好，怎么会不愿意呢？”惠才颇不甘心地说，“我等会儿再问，让你想想清楚。”

过了一阵儿，她又去问：“下辈子你还愿意和我在一起吗？”

吕依旧摇头。

“摇头不算，你亲口告诉我。”

“不愿意。”三个字说得极其清楚。

惠才脸上的笑容瞬间消失了，内心五味杂陈。她回到自己的房间，拿起平板电脑，飞快地写起来……

她终于知道，这六十年的婚姻——大家眼中的钻石婚——的确也是固若金汤的婚姻，只是她和他都没能获得幸福。

她有她的伤痛，他有他的伤痛。

悲惨孤独的人更宜相爱，他们本该相爱的。

但现在，一切都来不及了。

图书在版编目（CIP）数据

我本芬芳 / 杨本芬著 . -- 北京 : 北京联合出版公司，2022.2（2023.3 重印）
ISBN 978-7-5596-5727-5

Ⅰ . ①我… Ⅱ . ①杨… Ⅲ . ①中篇小说 - 中国 - 当代 Ⅳ . ① I247.5

中国版本图书馆 CIP 数据核字 (2021) 第 229081 号

我本芬芳

作　　者：杨本芬
出 品 人：赵红仕
策　　划：乐府文化
责任编辑：徐　鹏
特约编辑：信宁宁
装帧设计：别境 Lab

北京联合出版公司出版
（北京市西城区德外大街 83 号楼 9 层　100088）
北京联合天畅文化传播公司发行
北京美图印务有限公司印刷
79 千字　787 毫米 ×1092 毫米　1/32　印张 8.125
2022 年 2 月第 1 版　2023 年 3 月第 7 次印刷
ISBN 978-7-5596-5727-5
定价：39.80 元